LEE EUN HYE
SPECIAL EDITION

JumP
Tree A⁺

이은혜

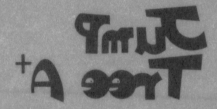

LEE EUN HYE
SPECIAL EDITION

Jump Tree A+

이은혜

JumP
Tree A+

Jump Tree A$^+$ 1권

JumP Tree A⁺   Episode.1

…자네,
그거
내려놓게.

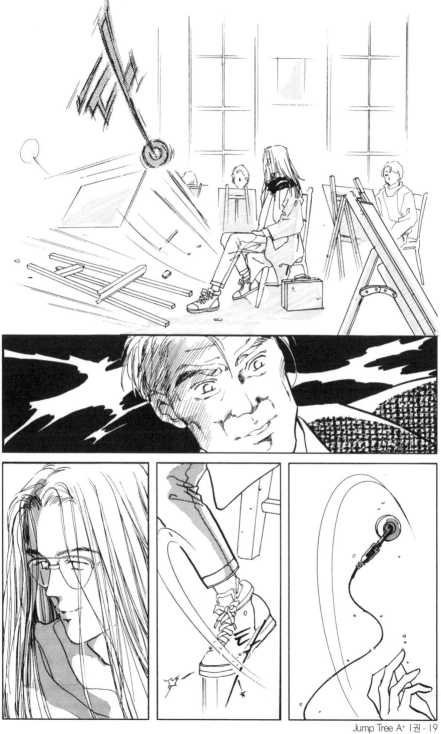

응!
해담고교가
거의 확실해요!

첫째,
학군이 그렇고,
둘째,

집안 대대로
동창생을 이어온
저력이
있거든요!

야아~

귀여운 후배
한 명이 더
늘겠구나.

우리 학교에 들어오면
무조건 JTA⁺
(Jump Tree A⁺) 클럽에
가입시켜주겠어.

맛!
Jump

점프 트리
에이 플러스?

오빠한테
전혀 못 들었어?
현목이 형이 제1대
회장이셨는데….

글쎄요.
울 오빠 고교 때
난 꼬맹이였으니까
뭐, 말해줘도
이해 못했죠.

…뭘 한다고?
전혀 연결이 안 되는군…

오마!
내가 지금 뭔 소릴
했지?

오빠~,
미안해!

첨 보는
사람들 앞에서
너무 심하게
해버렸다.

야아―.
철들었구나,
혜진이!

오빠!

…뭐야,
벌…써 시험
끝…났어?

어떻게 된 거야,
현목 씨!

난…
오빠가 이토록
환히 웃는 모습을
본 적이 없다….

모든 걱정을
떨쳐버린 얼굴로
달님보다 밝게
웃는다.

오빠….

헤에─.
우리 꼬맹이
울겠다.

오빠가 부탁이 있어. 혜진아!

시험 끝났으니 데이트해도 되지? 죄수 생활 청산 기념주 마시려고.

오빠…. 윽… 윽…, 흑….

이런… 뭐가 그렇게 서러워?

오빠~. 어떡해! 어떡해!

봐! 내 얼굴…. 난 기쁘다. 나중에 모두 다 얘기해줄게.

승주야! 우리 혜진이 에스코트 부탁한다.

예, 형님!

흑…, 흑… 흑….

차—암…, 그만해요. 사람들 자꾸 쳐다보네.

무슨 상관이에요. 엉… 엉….

엉 엉

…미안해요.

꼭 수도꼭지 같네.

그거 내 별명이에요.

오빠의 입시 사건으로
작은 혼란이 있었지만
특별히 혼내시는 것
같지는 않았다.

단지
무거운 침묵으로

오빠

서로를
지나쳐 다닐 뿐.

아빠

오빠…, 자?
커피 타줄까?

오빠,
뭐 하는 거야?

겨울 여행….

오빠!

혜진이
건강하게
있어야 해.

설마! 지금
떠나려는 건
아니지?

엄마, 아빠한테
인사도 없이?

다 알고 계신다.
오래 전부터
준비했던 거야.

풀
썩

오빠는 웃으며 떠났다….
오빠가 떠나온 세계—.
이제 나의 발을 들여놓는다.

Episode.2

으아아아~.
이제 죽었다!

규율부 엄하기로
소문난 학교인데
첫날부터 찍히다니!
유혜진, 앞날이
깜깜하구나.

…너무…고요…한…

그런데…
너무 조용하잖아?
한창 조회하고 있어야 할…

으잉? 그럼,
조회 시간도
끝났단 말인가?

규율부도
없잖아?

하늘이
도우셨다!
키이이ㅡ

지각을 하려면
이쯤 돼야 해!

너!

끼악!···

/우덜~···

신입생인가?

용서해주세요!!

딱 한 번만요!
다신 늦지 않을게요!
예? 언니!
언니~, 제발!

어이어이···

최대한
애처롭게,
흑흑흑···

귀여운
필실 믹내의
끼를 살린
눈물 작전!

신원을 밝히지 않으면
소리치겠어요!
요즘 치한들이
학교 안까지 들어온다는…
악!

규율반에 대해
들었겠지?
첫날이니까
봐주는 거야.

1학년 3반
5번… 유혜진,
기억하겠다.

으악!

고교생과
중학생의 차이는
어른과 아이만큼
난다.

어리광은 안 통해.
너흰 이제 더 이상
아가들이 아니다!

기초부터 튼튼히
쌓아 나가야
대입에 성공할 것이다.
한눈파는 녀석들은
눈물 흘릴 각오를
하도록!

대학을 가려고
인문계를 선택한 만큼
그에 대한 책임을
져야 한다.

우우…, 심하다!
정말 1학년부터
숨통을
조이는구나.

벌써부터
숨이 막히는 것
같아.

후아~,
숨 쉰다고
다 살아 있는
거야?

고3은 인간도
아니라잖냐!

음…, 이 반엔
인재가 꽤 많이
모여 있구나.

눈에 띄는
미인들 하며….

저 애야, 저 애.
이수경! CF 모델!
초콜릿 선전하는 애
있지?

수경아!

근데,
저애 주변 애들은 뭐냐?
되게 거슬리더라.

꼭
공주 모시는
시녀 같지
않니?

퓨…

그리고…
전교 수석이
우리 반에
있구나.

게다가…
끝에 수석도
함께 있군.

와
하
하
하
하
하

그렇게들 웃는 건
서로 꼴찌가
아니란 건가? 좋다!
지금처럼 자신 있게
웃을 수 있다면
승리도 가깝지.

그러나 분명한 건
탈락자들이
반 이상이란 걸
명심하도록!

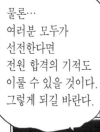

물론…
여러분 모두가
선전한다면
전원 합격의 기적도
이룰 수 있을 것이다.
그렇게 되길 바란다.

휴~,
마무리는
대학입시.

다녀왔습니다.

지각하고도 목숨이 붙어 있는 걸 보니 별일은 없었던 게로구나?

엄만~. 지각 하나로 사람 잡는 학교인 줄 아시나 봐?

네 오빠 땐 더 굉장했어, 얘! 그 학교 전통이 시간 엄수란다.

배고파요!

.그 칼 같던 학교 물이 점점 흐려지는 것 같다. 일명 날라리들만 늘어나는 것 아니냐?

엄마! 나 또 추첨으로 들어갔단 소리 하는 거야?

옛날처럼 시험 쳐 들어갔으면 너 같은 애들은 학교 근처도 못 갔어, 얘!

그래요! 난 돌이야. 엄마, 아빠, 오빠 수재고!

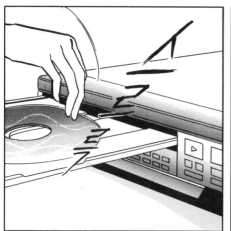

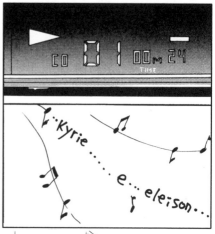

Kyrie ···· e··· eleison···

지혜의 탑으로 이르는 통로.
에고에 길들여지지 않은,
원초적 본능으로 충분한···
길들여진 본능의 만족과
비교될 수 없는
보다 강렬히 넘치는 기쁨···

Christe ··· e··· eleison

이성(사고 思考)은
많은 환희의
가능성으로부터
우리를 방해하는
적을 생성한다.

오빠···,
답답해!
학교는 온통
대학 얘기뿐―.

오빠···,
이런 답답함이
싫었던 거지?
그렇지?

오빠!
보고 싶어!
보고 싶어―.

야! 주번!
물 안 떠 와?
아침밥 먹는데.

밥 먹으러
학교 오냐?
도시락 가방이
책가방 세 배는
되겠다!

학교 회장은
오랜 관례에 따라
선생님들 추천으로
뽑는다더라.

와아~.
선생님의 신임은 물론,
학생들의 지지도까지
완벽하구나!

김승주 오빠
내 우상이
돼버렸어!

육상부 마질풍,
수영부 우물개도
우상 아니었어?

남성 숭배형
이구나?
지유선!

으하하핫….
세상살이란 게
여자, 남자 어울려
사는 것 아니냐?

중학교 때랑
정말 틀려.
낯선 얼굴도 많고
끼리끼리 놀고
벌써부터 적대감
갖고….

그러니까 즐거운
일을 찾아야지!
너, 특별활동반
어디로 정했니?

선배들이 써클 PR하는 게 꼭 선거 유세하는 것 같지?

근사한 선배들은 역시 예체능계들이야. 너무 멋져! 특히 그 머리카락!

교복 입는 대신 머리는 자유라…. 장발족들이 많다 했지ー. 첨엔 깜짝 놀랐어.

혜진아! 그냥 갈 수 없잖아?

매점

어휴~, 이 먹깨비!

와…, 냄새 조~타!

조심해! 뜨겁다.

어맛!

팍

앗ー, 뜨거!

뭐… 저런 사람이 다 있어?

괜찮니, 유선아?

응…, 괜찮아.

여보세요! 사람을 치고 사과 한마디 안 해요?!

이봐요!

콱

혜진아! 그만해!

…사과하세요.

뭐야?

으악! 잘못 걸린 듯한!

뭐 이런 사람이 다 있어? 어디다 연기를 내뿜는 거야?

혜진아!

아야! 뇌! 뭘 참으라는 거야?!

미쳤냐? 선배한테 겁도 없어!

상대를 보고 덤벼야지!

저런 애들은 퇴학을 시켜야 돼! 선배면 다냐?

담배 피우다 퇴학 당하다면 남을 남자애들 빌로 없어, 애!

야! 보리차를 끓여서 오냐? 왜 이렇게 오래 걸려?

근데 너, 되게 다혈질이다. 위험할 정도로 너무 모르는 것 같아 걱정된다 정말…

걱정 마!

그만둬. 애썼는데 칭찬해줘야지. 꼬마들아! 수고했다.

뭐얏?!

수경아, 물!

응.

선생님 오신닷!

너희들 대체 뭐야?!

너희야말로 거기 뭐야? 수업 종소리 못 들었나?

탕 탕

두고 봐!
언제 한번 걸리면
가만두지 않아!

키 크면 다냐?
난 체격이 있다고!
엎어놓고
한 번 앉았다 일어나면
끝난다 이거야!

많이 먹고
힘을 기르자구!
라면 불기 전에
어서 먹어!

너 다 먹어라!
난 생각 없어.

참! 『BLUE』
리부트 샀어!!
빌려줄게~

잘됐다.
그기 읽으면
기분 전환
될 거야.

까
아

오빠아!

까
아

멋져!

까
아

으잉? 저기
무슨 일이냐?

이게 무슨
노래냐?

오삐아!

까

선배들의
활동부서 모두가
다 멋지죠?

예에~~~

취향과
개성에 맞게
선택하시길
바랍니다.

제가 소개할
클럽은 JTA
인데요,

Jump Tree A⁺의
약자, 뜻 그대로
약동하는 나무들의
모든 학점은 A⁺.

건강한 고교시절을
보람차게 함께하기 위한
클럽입니다.

기본적인 인간애와
정의, 사랑을
서로 나누고 싶은 분들은
신청하십시오!
자세한 얘긴…
JTA에서!

까아—!
오빠!
더 얘기해요!

승주 오빠!

혜진인
접수번호
1호, 알지?

삐!

…뭐야, 저 애?

미숙아 같은 게
승주 오빠랑….

요즘 난
홀로서는
시기인가?

텅 빈 운동장을
자주 걷는 느낌이야.
고독한 혜진이…

무슨
소리야?
자동차
경주라도
하…

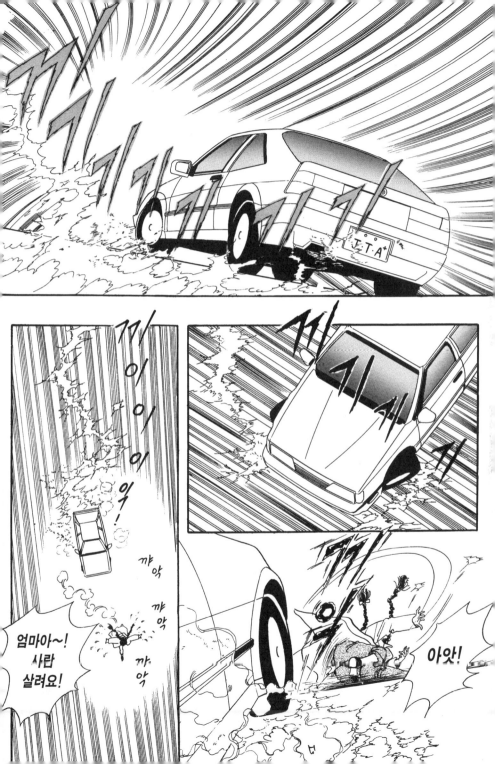

괜찮아요?!
다치지
않았어요?!

아이고오~.
많이 놀랐죠!

이러다 정말
사고 한번
치지…

와아아 앙~

아…,
저…

엄마아!
엄마~!
엉엉~~~.

자동차에
치어 죽을 만큼
나쁜 짓 하지 않았단
말이에요, 나. 엉엉….

정말 미안해요!
초보 운전이라….

사고 친 후에도
초보였다 변명할
거야?

엉엉 엉엉

Episode.3

혜진아—.
괜찮아!
장난친 거야.

그럼
맞장난을
쳐주어야겠군!

첫 인사쯤은
부드럽게 할 수 있잖아.
아무한테나 통해?

혜진아!

척
척
척

후배 기 잡는
것도 아니고,
숙녀를 놀리면 쓰나!

유현목 선배의
동생 관리는
영….

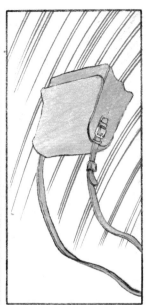

다른 스타 찾으셔!
울 오빠 팬클럽
내가 관리하니까
얼쩡대지 마!

으아하
아이고
배야

됐어! 됐어!
혜진아!
그만~.

민휘경 KO패!
네가 졌어—.
사과해, 인마!

그만 해!

절대
사과 따원
모르는
사람일걸?

라면 국물
엎을 때
알아 봤다.

또 어느새
라면집 가서
상견례까지?

괴물은
…JTA 3, 4대가
훨씬 막강하지
않아?

선생님,
오셨어요?

너 비켜!

악!

선생니임!
앉으시와요.
여기~~.

고맙다.

네 옆이 선생님
지정석이냐?
헛된 열정 쓰지 말고
이 오빠한테
투자….

네가
맞을래?
내가
때릴까?

선생님!
이 녀석 헛꿈 안 꾸게
한마디 하세요.
감히 사모님 자리를….

너야말로
내 차에 헛꿈
키우지 마!

어마나!
그럴 리가….
Key~ 여기
있사와요.

오래 기다리셨습니다!

와~, 향기 죽이는구나.

매희가 끓인 차는 믿어도 좋지!

여간 살림꾼이 아니야! 제대로 4대 임원진 뽑았다니까.

JTA 4~5기가 황금기 같은데? 아아…, 다시 어울릴 수만 있다면….

무슨 말씀이에요? 당연히 함께 하셔야죠. 영원한 JTA 회원이신걸요.

명예회원이 현역 활동만 하겠니?

그래도 알뜰살뜰 보살펴주실 거죠? 믿어요!

그럴 여유가 있을까?

고3이 인간이냐? 자유는 끝났다!

…승주가 보이지 않네?

그럴 일이 있지요.

혜진아!
기다려봐.

유혜진!
그건 전혀
이해한 얼굴이
아니잖아!

와ㅡ, 자식!
무슨 걸음이
그렇게 빠르냐?

다 알아
들었으니까
그만해요!

그렇지 않은 것
같은데….

아녜요!

…그럼
나 좀 봐.

그렇게
돌아서 있으면
표정을 읽을 수
없잖아.

왜 승주 오빠가
내 표정에 신경을
써야 해요?

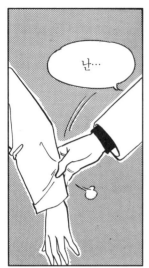

난…

네가 꼭
JTA 식구가
되었으면 해.

어째서요?

좋은 예감
때문이지.

휘경 형
한 컷으로
JTA 전부를
평가하진 마.

그 형에 대한
선입견도 갖지
않았음 해….

현목이 형도
같은 말씀을
하셨을 거야.

아마도
그랬겠지….

아주
익숙한 느낌….

오빠―,

이 사람 정말
오빠를 닮았다.

교무실,
학교 정문은 물론
남학생관 게시판까지
성적표를
붙여놓는대!

아예
죽으라고 하지!
심한 거 아니야?
완전 성적순!!

참, IQ 테스트
결과 들었니?

160짜리도
나왔다며?

수석한
주명인일 거야.
컴퓨터 머리
아니냐.

IQ와 성적은
관계없어.
내가 공부를
안 해 그렇지,
머리는 좋거든?

그러니까
결론은….

공부
못한다는 거지
뭐~.

너!

아하하!

어떻게 언니가 된 건지 모르지만, 또 여우짓 했구만! 이지현!

한 번도 그런 소리 한 적 없다. 말할 틈도 없었고 애가 맘대로 생각한 거지.

그랬어?

우~.

그래도 너…!

정식으로 소개하지! 나 1학년 7반 이지현이야.

너 대단하더라? 휘경 오빠한테 다이렉트로 맞붙은 사람 한 명도 못 봤어. 존경한다!

이건 또 뭔 소리? 나 모르는 사건이?

난 이 학교 맘에 들어. 클래식한 게 운치 있어!

게다가 JTA 활동은 생활관을 사용한대!

남자 애들 중 금남의 집 생활관 보려고 JTA에 가입한다는 설도 있어. 하하하~.

나도 가입했어. 혜진이가 아직 고집을 부려서 그렇지….

휘경 오빠 때문이면 안경 벗고 다시 봐주라.

겉과 달리 순수 감성 소년이야.

안경 안 썼어. 렌즈도 안 했고….

뭐… 선택은 자유니까.

이 녀석들! 청소 안 하고 여기서 뭐 하나!

깜짝이야. 태림이 너!

으하하하. 선생님인 줄 알았지?

너 이리 와! 누나들을 감히 놀려?

미스 스테미너! 환영식 노래 듀엣 할까?

좋지요!

안녕, 연훈 오빠!

지현이는 언제 봐도 싱싱하구나!

다들 모였어요?

거의… 시간 되어 가니까.

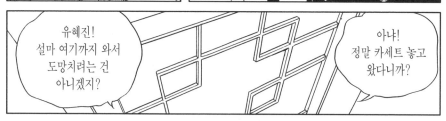

유혜진! 설마 여기까지 와서 도망치려는 건 아니겠지?

아냐! 정말 카세트 놓고 왔다니까?

책상 속에 있는데 누가 집어가겠니? 그냥 가자. 시간 없어.

안 돼! 집에 갈 때 들어야 해.

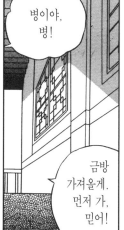

병이야, 병!

금방 가져올게. 먼저 가, 믿어!

왠지… 불안하군. 너 꼭 와야 해. 옆으로 새면, 알지?

두말하면 숨찬 소리!

정원아!

슬금
슬금

살금
살금

끼아악!

후
다
다
다
다
다

너무…고요…엄숙…군엄…

그럼… 1부는
여기서 마치고,

2부,
싱어롱 타임을
갖겠습니다.

이야!
이제 좀 살겠다.
그치?

야!
그만 돌려.
떨어진다.
또~.

괜찮아…,
엇!

으아아….

뭐야, 쟤?
계속 볼펜으로
분위기 깨네?

튀려고 별짓
다 한다, 야!

후아아~,
숨 막혀
죽는 줄
알았네!

하하하~.
본 회의는
원래 그래.
힘들었지?

네가
유 선배
동생이구나?

휘경이를
한 방 먹였다며?
주먹 좀 보자,
미스 펀치!

저희가
도울 일 없나요?

착하구나!
접시들 좀
들여가
주겠니?

야! 마귀할멈!
아가들한테 맡기고
들어와라.
네가 없으니까
노래가 영 안 된다.

**오빠!
또 마귀할멈~!**

야호! 꼬마!
우리 인연도
우연은
아니었던가
보다?

저번에
놀라 봬서
죄송했어요,
아저씨!

아…저…씨!
어허~!
남의 혼삿길 망칠 일 있나,
이 아가씨가 계속….

잘했다!
아저씨 싫음
할아버지라고
불러줘.
알았지?

Episode.4

…안 돼?

아…, 저…,
뭐… 그…
그러니까….

야!
기생오라비!

넉넉한 자리
냅두고
뭘 굳이 끼어들어?
이리 앉으셔!
전체가
신입생이다!

우수 어, 맞다!
편애하지 맙시다.

자!
그만 싸우고
수세미와 유선이.
한 곡 불러봐.

그래!
유선이 노래
잘한다며?

음…,
어느새
소문이
여기까지!

스타는 팬을
실망시키지
않아야 해.

맞아!
그럼…
해볼까?

노래하면
신데렐라라는 거
아닙니까?

그게 뭐냐?
최신 유행곡이냐?

기타,
노래 따라와
주시고—.

Yes, sir!

Oh, one! Two!
Oh, one!
two!
tre
four!

괜찮은 거니?

들어가, 난 괜찮아.

무슨 일이야?

아냐, 들어가라니까. 핵심이 빠지면 되니?

이렇게 해봐. 눈이 부은 것 같은데?

너! 울었구나.

승주가 정원이를 울렸다구?

형!

…둘이
뭐 하는 거야?
함께 어울리지 않고
밀담이냐?

아냐, 오빠.
들어가요.
같이.

얼마나
울었을 까요…♪

허어엉~,
애 좀
말려주세요.

우우우~.
미치겠다,
그만해라.

그놈의
샤바타령
몇 절까지
할 테냐?

마시고,
이번엔 나하고
샤바샤바 하자.

첫 모의고사가
내일로 다가왔다.
내신과 관계없다고
긴장을 풀면
여러분만 손해다.

연습을
실전으로 생각하도록!
첫 시험이지만
과를 선택하는 데
어느 정도 윤곽이
드러날 것이다.

선생님!
성적표를 정말
공개하나요?

물론이다!

아무리 전통이니
관례니 해도
바로 잡아야 하는 거
아니니?

학생회에선
아무런 노력도
하지 않나?

너무해!

너무
비인간적이지
않냐?

따르르르릉……

우우ㅡ!
잔인하다.

그리고,
점심시간에
청소 안 하고
땡땡이치는 너닉들!
조심하는 게
좋을 거다.

이건 인권침해야! 합격자 명단 발표하는 것도 아니고!

합격자 발표는 학력고사 결과로 충분해.

우우…. 머리가 아프다.

이 철창에서 나가자~!

밖도 답답하긴 마찬가지. 감옥 안에 있는 정원인걸.

야! 늬들 또 청소 안 해? 선생님께 이른다!

컵라면 둘, 햄버거 하나, 아이스크림, 초콜릿….

매점

넌 줄 알았다. 도시락은 오자마자 해치웠지?

어머! 매희 언니.

안녕하세요.

떡볶이

김밥

오뎅

점

따라와!

가여운 중생들
구제해줘야지.
학주한테 걸리면
골치 아파진다.

와~, 방송실
꽤 근사하다!
들어와보긴
첨이에요.

안녕!

점심
먹고 와.

2번 테이블에
쇼팽 걸어놨어.
여기,
멘트랑 신청곡.

경고 또 먹었다.
메탈 틀지 마!
다음에는
레드 카드라구.

알겠습니다!

이리들
들어와.

끼기
들어가도
돼요?

뭐 듣고 싶어?
신청곡, 특별히
받아주지.

뉴 키즈요!

New kids요!

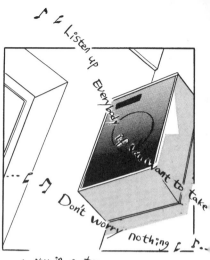

♪ Listen up Everybody...if you all want to take
...♪ Don't worry nothing ♪...

New kids다!

...Because it won't take long ♪ We're going To put you in a trance with a funky So...
♪ cause you've gotta be...

밥 맛 나누만!

난 저 언니
방송할 때가 젤 좋더라.
시원시원하잖니?

Hangin' tough ♪
Hangin' toug...

와…, 언니,
전문 DJ같다!
멋져!

「HANGIN'
TOUGH」들을 땐
꼭 휘경 오빠 생각
나는 거 있지?

첨엔 그렇게
생각했는데…
속은
부드러운 사람
아닐까요?

엄머!
방방 뜰 땐
언제고?

날 바라보던
눈빛이 그랬어.

야…, 혜진이
이 작은 손으로
휘경일
잡았단 말이지?

하룻강아지
범 무서운 줄
모르는
위험한 놈이죠.

야!
유혜진
나와!

네가 뭔데
우리 스타를
패고 그래?

어떻게
이런 실수를 해?
on, off 확인,
기본이잖아!

잘못했어요.
죄송해요~.

방송실

휘경 오빠
살려내!

콩
쾅

아무리 세도
우리 전부는
못 당할걸?
당장 나와!

혜진이
넌 죽었다!
무적 민휘경
사수대야,
쟤네들!

왁! 왁!
유혜진
나와!

끼
끼

지 광적인
팬들을
어찌하리오.

이 녀석!
농담이 나와?
일을 만든 게
누군데!!

꾹 꾹 !!!

다신 안 그럴게요.
쟤네들 진정시켜주세요.
예? 예?
선생니임~.

싱 아웃 대회?

JTA 연합회에서
주최하는
연례행사 중의
하나야.

역대 JTA 선배들
매년 우승 먹었대.
이번에도 확실하지.
우승한 선배들과
함께 하니까~!!!

꺄악!
그만해!

와하핫! 난
해적 선장이닷!

연극 연습
하나?

혜진아!

으잉?

도와줘!
짓궂어서
너…
오기만을….

으아아~!
유혜진이다!

와! 굉장하구나!
방송 사건 이후
유혜진 이름만 들어도
다들 혼비백산~.

밤길 걱정
없겠네요!

후아ー, 어쩌다
이렇게 된 거니?
유혜진….

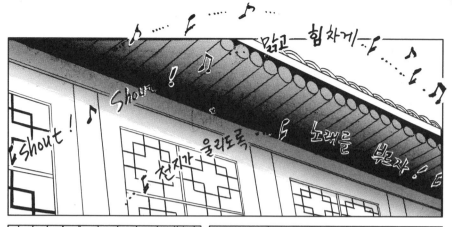

쉬었다 합시다!

간식 타임!
먹고 합시다!

와—,
제법들
하네?

춤으로 단련된
체력이란 거
아닙니까?

이런
포크댄스 정도는
기초도 못 되죠.

손동작이
너무 어려운 거
있죠!

손동작뿐이냐?
오른손 올릴 때 왼손,
왼발일 때 오른발,
왜 반대로 가?

덕분에 내 발등
몇 번 밟혔는지
알아?

혜진이는
구석에 가서
개인 연습
더 하고 와!

손동작이
뭐 그리 어려워?
잘 봐.
이렇게 공을
굴리듯이
하면…

이렇게요!

그렇게 손을 많이 벌리면 예쁘지 않아!

이 정도 모아준 상태에서,

가슴선 위아래를 벗어나지 않도록 해.

아~, 저… 혼자 연습해 볼게요.

…그린 손으로 어떻게 펀치를?

아아아

또 그 소리! 소문 안 난 곳이 없구나. 흑흑흑….

안 예쁘다.

휘경 오빠….

얼굴 펴, 아가씨!

으잉?
휘경이 웬일이냐?
사람들 앞에서
피아노를
다 치고!

우와~.
내가
좋아하는
베토벤의
월광!

한낮의
클래식이군!
정말 오랜만에 들어,
민휘경 피아노.

휘경 오빠!
무슨 바람이
불었대?

이야···,
역시 휘경 형~!
살아 있네~!

야, 치타!
쩝쩝대지 마!
음악 감상 방해!

놀란
표정이네?

으···응?

휘경 오빠
전공이야.
12년간 피아노
안고 살았어.

전혀 어울리지
않는데···.
상상도 못했어.

…정말
같은 사람일까?
…이런 모습은
상상도 못했어.

피아노의 음색처럼
맑은 영혼을 가진
사람….
지금 그의 표정은
누가 봐도 그래….

앵콜!

민휘경!

민휘경!

짝짝 짝 앵콜!

불안하게—.
즐겁긴 했다만,
왜 안 하던 짓
하고 그래?

내일 시험인데
애들 그만
보내지?

부모님 아시면
기절하시지~.
시험 전날
노래 연습이라니….

정원이는 내가
바래다줄게.

승주는 제일 먼
수경이 데려다줘라.
회장이 뭐냐?
봉사하는 사람
아니냐?

태림이는
유선이 데려다
주고….

이른 시간이면
좋을 텐데….
같이 못 가서
섭섭해 어쩌지?

승주 오빠….

네가 혜진이
보호자쯤 돼?
신경 많이 쓰네.

내일
시험 잘 봐.
그래야 모레
즐거운 After를
할 수 있지.

낼 모레?
…무슨 일
있어요?

함께 현목이 형
만나러 가려고.
물론 혜진이도
갈 거지?

무슨
소리예요?
울 오빠가
돌아왔단
말이에요?

몰랐어?

어어…,
집에 연락 없었어?

잘못됐을 거야.
오빠가…
그럴 리 없어요.
돌아오면 집에
제일 먼저….

우리도
휘경 형 통해 들었어.
현목이 형이
연락한 게 아니라
우연히 만났나 봐.

집이 먼저가
아닐 수도
있지.

울 오빠
그런 사람
아녜요!

돌아오면
젤 먼저 내게
연락한다고…,

…연락
한다고
오빠가….

혜진아!

흥...

완전 자동이네!
오빠 얘기만 하면
눈물이 뚝뚝!

그만해,
얘!

혜진아!

엉엉

Brother
Complex!
잘난 오빠 둔
여동생들이
치러야 하는 홍역!

민휘경!
어쨌거나 또
혜진이를 울렸네.

잘못한 거 없이
마치 죄인이 된
기분이 든다니까.

그런데…
그 느낌이 별로
나쁘진 않아…

혜진아,
불 끄고
자야지.

원~
유난스럽기도 하다.
형제애 좋은 것도
문제구나.

연락할 때
되면 하겠지.
오빠한테 다 맡기기로
했잖니, 우리—.

오빠—,
정말 너무한다.
난… 이렇게
오빠 보고 싶은데
오빠 땜에 수도꼭지
됐는데….

혜진이 보고 싶지
않은 거지?
생각 하나도
안 하는 거지?
오빠!

여긴
소극장이잖아?

현목이 형
여기서 뭘 하시는데?
연극 배우가 되셨나?

암튼
도깨비야,
도깨비!

…혜진아!

유현목 씨를
찾아 왔는데요!

형!

현목이 형!

형님!

형!

여긴
어떻게들….

형님!
살아 계셨군요!

형님!
이러실 수 있는
거예요?
기다리다 기린 목
됐습니다!!!

혜진아!
이리 와.
뒤에 있지
말고….

혜진이 눈 좀
보세요.
퉁퉁 부었어요.
울어서….

오빠…,
정말…
오빠야?

Episode.5

화장실 문을
잠갔어요….

어휴!
몰매 맞을
뻔했네.

뭔가, 묘한
분위기야.

정말
알 수 없는
오누이로군….

친남매 맞아?
이건 마치….

붙잡을 수 있는 만큼
도망치는 건
잡아달란 소리야.

그래서!

오빠
이런 식으로 돌아왔어?!
어떻게 그럴 수 있어!
전화 한 통 없이?!

집엔 영영
안 돌아올
작정이었어?!

집 걱정 하지도 않았지?!
우리 모두 허깨비니?!
엄마, 아빠, 나!
오빠, 고아니?!

재회의 기쁨을
나누는 장소치곤
좀 그렇다고
생각 안 해?

뭐가 재회의
기쁨이야!
나 오빠 만나러
온 거 아냐!

…알았어,
같게.

네가
건강해 보여
다행이다.
…잘 가.

오빠!

어리광쟁이!

폭군!

파쇼!

철부지!

고집쟁이!

씨이—!

파샤 파샤

에잇! 야구방망이 없는게 한스럽다!!

으앗! 손이 더 매워졌구나, 혜진이!

보고 싶었어, 혜진아.

매일매일 돌아가고 싶었어.

거짓말!

거짓말!

꿈도 꿨다, 너!

거짓말!

존경스럽다!
울 오빠랑 난
웬수지간인데!
두 사람은 별종,
놀랍다~ 진짜!

네 오빠뿐이냐?
모든 사람이 웬수
아니있나?

맞아!
나한테도.

나도!

me too!

으음…,
벅찬 상대야!
그것도 많이.

?

현목이 형을
어떻게 꺾나!
아흐~, 혜진이
커트라인이
학력고사보다
높구나!!!

oh…ㅠㅠ…

왜 저러냐?

하여튼
장난감 없이도
잘 논다니까요,
쟤는.

연극하시는 줄
알았어요.
완전히 돌아오신 걸로
생각했는데.

글쎄….

또 떠나실
건가요?

아마도.

그만들
일어서야
하지 않아?

형님,
바쁘세요?

학생들이
밤늦게
다니는 거
안 좋아.

배웅은 무슨.
혜진이는 우리가
잘 보살필 테니
들어가십쇼.

아니! 형님~,
자꾸 할아버지 같은
말씀만 하실 겁니까?

염려 놓으세요!
아낌없이 패주고
정성껏
부려먹을게요!

그럼… 전
여기서 작별하죠.
방향이 틀리니까.

휘경이 고맙다!

다행이군요

여행을
방해한 게
아니어서.

오빠…,
그 여행 언제
끝나는데?

나도 몰라.

꼭이야, 오빠!
필요한 것 있음
전화해!

그럼 형님!
건강하십쇼!

혜진이
부탁해.

오빠!
전화해야 해!

유선이 말에
동감이다!
오빠가 그렇게 좋아?
눈물이 쏟아질 만큼?

기억해?
우리 첨 만난 날
지금과 비슷했지?
현목이 형 만나고
지하철에서
펑펑 울었잖아.

자! 수건!
너 만나는 날은
상비하기로 했어.

맘껏 울어!
무지개 색깔도
준비해놓았으니까.
하하하.

오빠~!
또 놀린다!
이럴 땐 울 오빠랑
똑같아!

와우!
응원군이 오셨군요!
잘 오셨어요,
형님들~!!!

뭐야,
군기가 팍팍
빠져서는….

말 마세요.
제정신들이
아네요.

어머!
멋져!

저것 좀 봐!
로미오와
줄리엣~!!!

교복보다
멋진 단복이
어딨어?

가장
무도회 왔냐?
그냥 한 대씩
파바박!

야! 민휘경!
손연훈!
여기서 볼 줄
알았어!

오우!
이게 누구신가?
줄라이 퀸!

안녕, 햄릿!
옛날 생각나지
않아?

병아리들
놀란다, 인마!

우와~.
찐~하다.

으아….

호흠.... 정말 프레시하구나, 예쁜 아가들! 휘경이가 소심할 정도로 말이야.

여전하네! 입심하며….

언니! 더 예뻐지셨네요.

야, 지현이! 더 깜찍해졌네?

진짜 오랜만이죠?

지현이 보면 그냥 좋더라. 친동생같이!

자매 같아. 두 사람 분위기 많이 닮았지?

정말! 여우 같은 게 똑같다, 야.

뭘 그렇게 흥분하니? 친한 사이에.

야! 그게 학생이 할 수 있는 행동이냐? 잘못 봤어, 내가. 생긴 대로 끼리끼리 논다니까.

분노를 풀어주는 으네 탄산음료

애들아! 같이 화장 고치자!

넌 남자 아냐? 미녀들 구경하지 그래?

미인 있잖아, 여기도.

아…, 치타! 역시 넌 괜찮은 녀석이야! 나의 미모를….

아니지.
너와 난 미남과 야수,
혜진이와 내가
미녀와 왕자….

너! 선우태림!
살 좀 빠져볼래?!

으아아,
혜진아!
유선이 좀
말려줘!

오늘 너 죽고
나 살자.

유선아!

에휴~,
못 말려
정말….

하지만
티격대면서
사이좋은 걸 보면
천생연분이다,
뭐….

뭘 혼자
실실대고
있어?

어!
태준 오빠.

유선이
기다려요.
화장 고치러
갔거든요.

마실래?

금방 뽑은
거야.

아…,
아뇨.

뭐야,
여기들 있었어?
한참 찾았잖아,
시간 돼 가는데….

승주
오빠!

유선이 기다리고
있었어요!
화장실 갔걸랑요!
오빠!

미안해요.

귀청
떨어지겠다,
녀석아.
왜 소릴 질러?

아! 태준아.
재영이 형이
기타 바꿔주신대.
너 찾으시더라?

잘됐다….

태림이도
여기 있니?

으응….

떨고 있잖아.
왜 그래?
무슨 일이야,
혜진아…?

아무것도
아녜요.
그냥….

···♪한 밤중에 ♩··♪. 전화벨이 울리네♩···아으아으아! 원고 ♩원고♫···
···♪마감 이라네···♩아·· 아·· 언제쯤 벗어날 수 있을까 ♩··♪사람으로 살고 싶네···
♪헤이! ♪헤이! ···그것은 ♩··만화가의 소망

별 희한한
노랠
다 부르네.

자장면
다 불어요.
먹어야 살죠,
선생님~.

에구, 시끄러워!
고교 단체 손님은
받질 말아야 해.

어흐흑~.
가슴을 저미는
노래다.

아저씨,
짜장면 둘
추가요!

짜장 둘
추가!

모두들 잘했다.
우리 JTA는
천하무적이야!
역시~!!!

막상 무대에
오르니까
힘이 솟는 거
있죠?

그것이
무대 체질이란
거다.

다 선배님들이 응원
와주셨기 때문입니다.
고3의 황금 같은
바쁜 시간 내주신 거
정말 감사드립니다.

또 고3 얘기냐?
공부 얘기는 빼자.
짜장면 맛
떨어진다.

그러나 성적과 식욕은
관계없다는 사실을
입증하는 두 사람.

쩝
쩝!

후루룩

대체
몇 그릇째냐?
지유선, 유혜진.
먹는 폼 하며….
어휴….

수경이 봐라.
얼마나
조신하니?

수경아!
항상 내 옆에
앉아다오.

너무 양이
많은 거 있죠?
혼자 먹기엔….

슥

그래, 그래.
이 오빠가
옆에 있잖니.
다 먹어줄게,
남은 것.

우엑! 맛 떨어지누만!!
여자애들에 대해
너무들 모른다고~.

그래!
그래!

저런 애들이
집에선 밥통째
들고 먹는다고!
알겠냐! 응?

체하겠다,
열 올리지 마!

어디 가니,
혜진아?

소화제 사러요.
유선이 체한 것
같아요.

커피
타놓는다.
빨리 와!

난 2:2:2로
해주세요.

딱
딱
딱

계속 바보같이
굴 테야?!

정원아!

내버려 둬!
네가 상관할
일이 아니잖아!

어…

Episode.6

으악!
또...

농담이 아니었어!
게시판마다
성적표를 붙여놓다니….

사진까지
붙이지 않은 걸
다행으로
생각해라.

오늘부터
공부한다!
말리지 마!

넌
어떻게 말리냐?
난 건조기가
아냐!

수경아!

내 아무리 작심삼일이지만 이틀마다 계획 짤 거야!

가까이 하기엔 너무 숨찬 대학 아니겠니?

수재오빠 동생 수재란 법은 없다지만….

수재는 무슨? 오죽하면 시험장 뛰쳐나올까!

그런 일이 남자 애들한테 영웅적으로 보이는 게 정말 이해 안 돼!

진실이 아닌 건 들을 가치도 없어.

불쌍하지 않니? 예쁜 입으로 더러운 말들만 쏟아내는 게 보통 힘들겠니?

야! 호박! 네 일도 아닌데 왜 끼어드느냐 말이다!

이 깡통들아! 시누이 일을 어떻게 보고만 있겠냐?!

오! 과연!

으잉.....?

시누이?

혜진이 오빠의 부인과 관계되는...

부르르

으하하핫~. 코미디 타이틀 매치다!

이게 뭣 하는 짓들이야!

와아아앙~!

너희들 다
따라 나와!

으흐흑ㅡ!

수경아!

혜진아,
인마!

괜찮니?
넌 나갔다!
얘…

비켜!
구경났냐?!

가자!
가!

오징어
한 마리도
못 팔았다!
에잉…

나에 대한 걱정은
전혀 없는 거예요?

난 계속 기회를 찾고 있었다! 진지하게 우리 미래를…

…너 유선이 좋아하는 남자 많은 거 알지? 잘 챙겨야 할걸?

푸하ㅅ!

이제 제정신이 돌아왔구나? 실어증 걸린 줄 알았다.

또 일을 저지른 거 같아. 그냥 지나칠 수도 있었는데.

끝난 일이야.

참, 낼부터 생활관 들어간다며? 엄마 보고 싶어 어쩌냐?

응… 집 떠나는 건 첨이야. 일주일이나…

흠… 앞으로 7일 동안 디데이 삼을 인간들이 많겠지…

…무슨 소리야?

혜진아! 속옷 조심해라!

으잉

걸리면 최소한 정학일 텐데….

야! 야! 냄새 나는 양말 들고 가면 붙을 것도 떨어지겠다.

난리들이군….

난 도와주고 싶어! 아아…, 기사님! 제 양말을 가져 가시와요.

어휴ㅡ. 누가 이런 야만적인 전통을 생각했지?

가재는 게 편이란 것이지. 우리도 고3 될 건데.

난 그 반대야. 얼마나 인간적이니? 드라마틱 해.

휘경 오빠 온다면 도와줄 텐데….

이야~, 변덕쟁이! 끝났다며 그새 변심했어?

너의 휴식처에
비상 계엄령 내린 게
슬픈 게 아니고?

안됐다, 민휘경!
보충 땡땡이
이제 어디 가서
치시나?

요즘처럼
흉흉한 세상에선
낭만도 범법으로 둔갑하지.
내가 슬픈 건 구속 돼버린
낭만인 거다.

잃어버린
낭만을 찾는 데
동참할
기회를 주지!

안전지대는
많아.

그보다
네가 걱정이다.
일 치를까 봐.

걱정 되면
도우렴.

…넌 정말
위험한 놈이○

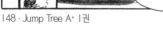

안 될까요, 선생님?
저희는 단짝이거든요.
혜진이 혼자 떨어져
있는 건…

선생님~!!!

저녁 준비 하려면
서둘러야 할 거야.

단체생활이란
서로 다른 인간들의
어울림이다.

됐어.
안 될 줄 알았어.
…뭐, 괜찮아.
멀리 떨어져
있는 것도
아니고.

새로운 환경에
적응하는 수련이라
생각하고 협조하도록!
조 변경은
허락 못해요!

그래!
잘잘 때 빼고
함께 있는데,
뭐.

꼭 기숙사에
들어온 것 같지?
수학여행 기분도 나고.
교통체증 시달리지 않고
지각할 염려도 없고
얼마나 좋으냐?

무엇보다
저녁 식사와 함께
생활관 시작이
된다는 사실!
우~, 뿌듯해!

아줌마!
시장 가시네!

맛있는 거
나눠 먹읍시다!

혜진아!
문 열어놓을 거지?
귀찮으면 양말에
이름 써 밖에 놔둬~.
바람처럼 휘리릭
집어갈게!

오빠~!

제 것도요,
형님!

무슨 초콜릿
좋아하니?
브렌디 뽕?
뚜라미스?
미니 솔?

재영 오빠!
큰일 나고 싶어요?!
장난치지 말아요!

장난 같아?

보쇼! 오라버니!
아가들 쇼크 줄 일
있어요?

기타 만질 시간에
책 보면 그런 짓 따윈
안 해도 된다는 거
아닙니까!

마! 이건
스트레스 해소 겸
취미 생활인 거다!
안 그러냐, 태준아?

안색이
왜 그러냐,
태준~?

너도
혜진이 양말
집어다 주랴?
응?

뭡니까?
이거 분위기
이상하네?

으아아~.
노닥거릴
시간 없다!

저희
갈게요.

그려~. 안녕!
부담 갖지 말구!
농담이었어!

어디!

우와!
이 찌개로 밥 먹겠냐,
어디?
이리 와! 우리 조
찌개 맛 좀 봐라.

거기!
누가 돌아다니며
밥을 먹나?
각설이냐?

죄송합니다,
선생님!

고소하다!

자! 꼬마야,
요리는
우리가 했으니
넌 설거지
해야지?

녹차 준비도
하거라!

나 갈게….

괜찮아!

아까 걔들 하는 꼴 보니 널 깔고 잘 것 같아. 차라리 내가 깔고 자는 게 낫지!

정말 유별나네!

자기 편하려고 남 불편하게 해도 되는 건가?

야! 내가 방바닥에서 자면 되잖아! 그만 쫑알대라!

유선아~.

으…음….

악!

미치겠네, 정말!

여기가 방바닥이냐?

발 치워!

Episode.7

안 됩니다!

일주일의
근신 처분으로 끝낸다면
이 악순환은
멈추지 않을 겁니다.

여학생들의
학부형도
그냥 넘어가지
않을 겁니다.

다행히
아무런 사고가
없었다지만
이런 공포 분위기 속에
자신의 딸들을 맡길 수
있겠습니까?

그럼, 마 선생님은
어느 정도 벌칙을….

퇴학입니다!

그건 너무
심하지
않아요?

주모자 두 사람을
본보기로 처분하면
생활관 사건뿐 아니라
여러 면에서 경종을
울릴 수 있습니다.

교장 선생님!
요즘 우리 학생들은
자유가 넘쳐 방종에
이르고 있습니다.

고3 예체능계에 한하여
머리 자율을 허용한 후,
다른 학생들 머리 단속까지
느슨해진 사실만 해도
그렇구요!

더 이상 말도
안 되는 전통을
이어가게 할 순
없습니다!
기강을 바로 잡아야
합니다!

일을 너무
확대해석
하시는 것
같습니다.

숨 막히는
시험 지옥에서 긴장을 풀고
웃어넘길 수 있는 에피소드
하나쯤 나쁘지 않다 생각해요.
나름대로 룰을 갖고
행동한다면.

말도 안 돼요!
그들 때문에 여학생들이
긴장하는 건
상관없단 말씀인가요?

녀석들은 미신 따위에
정신적인 위로를 구하는
형편없는
의지박약아들이라구요!

이쯤 되면 문제가 상당히 심각하다, 응?

뭔가 대책을 세워야 하지 않겠냐? 고3 돼서 퇴학이라니!

어쨌거나 우리와 부딪힌 선배들인데 인생 종치게 냅둘 순 없는 일 아니냐?

두 사람, 평소 품행이 단정했던 사람들이래.

어휴…. 겉모습만으로는 모른다니까 정말…

우울하다. 무사했으면 좋겠다. 그 오빠들.

상상도 못했어. 꼴이 그게 뭐냐?

연판장을 돌리는 거야! 철야농성도 불사한다!

자~! 오빠들을 구합시다! 서명하시오! 친구들!

지아비들을 아낙네가 돕지 않으면 누가 도우랴!

으쌰!

으쌰!

난…
이런 데서
매력 느끼지
않아.

오로지
패주고 싶어!

요즘
간 내놓은
토끼들이
많구나….

이건 경고야!
내 눈에 이따위 것
또다시 비춘다면
미워할 거야.
평생!

나도 경고 하지….
난 두 번
귀여워하지 않아.

위대하다!
우리의 딸들!
장하다!
우리의 언니들!

너와
내가 아니면
누가 지키랴!
불쌍한
우리 형제들!

사나이들아!
아내감들을
데모대에서 찾아라!
그대의 아들을
영웅으로 키워줄
어머니가 바로
저 여인들이다!

~ 아아‥ 돌려다오‥

수종아! 퇴학이 웬 말이야!

우~우~!
석방하라!

-6 오라버니

대발아! 울지마라! 홍도누나가 있다!

야!
구호가 틀려!

대발아·수종아 힘내

마 선생 걱정과는
싱 반대올시다.
여학생들이
발 벗고 나서서
구명 운동을 할 줄이야!
핫핫핫!

순 공부
못하는 깟들이
젤 앞장서
설친다니까!

저희 모두의 뜻입니다.
마지막 용서란 조건으로
벌칙 철회해주십시오,
교장 선생님!

으음….

아유…, 곱기도 하지!

천하의 덜렁이들이 양갓집 규수로 변한 것 좀 봐요.

그 녀석들! 며느리 삼으면 좋겠구먼! 허허허….

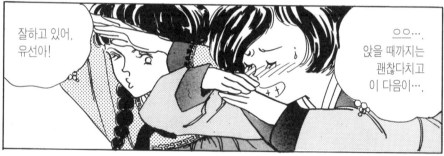

잘하고 있어, 유선아!

으으… 앉을 때까지는 괜찮다치고 이 다음이…,

문제라는 거 아닙니까….

끄 끙 끙

으잉? 저 처녀는 왜 안 일어나는가?

넌 할 수 있어, 유선아!

끙 끙

힘내라, 지유선!

힘 줘!
엉덩이를
끌어모아!
당겨! 아자!

으쌰! 으쌰!
올라간다!

올라간다!

어이쿠!
저놈 저러다
핵폭탄 터뜨리겠네!

읍!

쪼옥!

와아!
성공이다!

됐다!

장하다!
내 딸아!

엄마!
이 몸이
해냈다는 거
아닙니까!

생활관 마지막 날
부모님을 모셔 절을 하는 게
관례래요.

깜짝 놀랐다.
시집 보내야 할 만큼
커버린 것 같아서!

나 아까
괜찮았어요,
엄마?

헤헤…
오늘부터 또
엄마 괴롭히게 돼서
기쁘다!

너
기뻐할 일이
또 있구나.

네 오라버니
집에 와
있단다.

정말?!

오빠!
어딨어?

쿵
쾅
쿵
쾅

따 다 다 다

또 숨었어?!
빨리 안 나와?
잡히면….

아얏!

← B.B탄
가짜 총

방심했구나,
혜진이!

치사하게!
전화도
안 하고!

방

방

방

했다!
너 없을 때만.

보자마자
도전했다
이거지?!

하
하
하
…

씨이―!

챔피언이
도찐하는 기
봤냐?

어이구~.
허구헌 날 투다닥!
한 살들 더 먹고
오랜만에 만나도
점잖은 구석이 없냐
그래…

오빠가 먼저
시비 걸었단
말이야!

말만 한 녀석
더 크기 전에
길들여야죠,
어머니….

결론은
해피 엔드야!

그 전통이
아직 전수되고
있구나, 헛헛.

지금이야
완전히 퇴색되어
버린걸요.

그래도
퇴학을
면하게 됐으니
다행이야.

애들이
기특하구나.

그 기특한
애들을 위해
일요일 하루
집을 비워
주실 거죠?

이번 JTA 모임은
우리 집이야.
오빠 얼굴도 볼 겸
MT 자문 구한대.

이 꼬맹이가
어느새
JTA 회원이
된 거야?

승주 오빠가 저 미워하나 봐요…

글쎄, 그렇지 않아! 무슨 소릴 하는 거야?

아네요. 내일 시간 못 낼 것 같아요. 촬영 때문에….

시간 조정 전혀 불가능하니? 혹시 혜진이네 가는 게 불편해서니?

아네요, 언니!

매희야! MT 보고서 못 봤어?

야! 수경이 왔구나?

아! 승주, 마침 잘 왔어!

먼저 가요! 선생님과 면담 있어요.

어머, 애! 수경아!

어어…, 수경아!

저 녀석…, 뭐가 저렇게 급하대?

회장은 공인이야.
모든 회원들에게
공평해야 하는 사실
요즘 가끔 망각하네?
김승주!

뭐가 또
잘못됐어요,
시어머니?

수경이한테
네가 잘못한 거야.
여자애들 감수성
예민하다, 너!

둘이 싸웠는데
한쪽만 지적하면
오해한다고~!
너한테 미움 받는다
생각하더라.

이런…
바보 같은
녀석!

너도 그렇고,
태준이도 그렇고
어째 그러냐?
이 엄마가 바빠요,
JTA 평화를
홀로 지키려니~.

태준이가
왜?

나, 혜진이
혼내러 간다!

너무 혼내지 마!
오빠 이름만 들어도
수도꼭지 되는
애야.

와…, 승주 너!
내 맘대로 상상력
키워도 되는 거지?

…뭘?

까하하—! 귀엽네~.
긴장 풀어~~!
농담 한마디에
바짝 쫄다니!

에휴, 저걸!
서지 못해?
이 마귀할멈!

학생 신분이지만
넌 프로다.
역할에 최선을 다해야지.
보상은 최고의 연기로
해야 한다.

예!

여기 조퇴서
작성하고….

그래, 이번엔
해외 로케라고?
힘들겠구나.

죄송합니다,
선생님…

이수경!

미안해!
내가 부족한 게 많잖아.
늬들이 도와줘야지
어쩌겠어?

……

수경아…,
내가 어떡하면
화가 풀릴까?

그런 거
없어요.

말로만
미안하다는 건
속 보이고….
영화 보여줄까?

나…
괜찮아요,
승주 오빠.

연속 거절은
용서 못한다는 뜻인가?
내가 그렇게 미워?

아녜요…,
오빠!

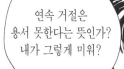

으야하하하하

내꺼! 상투 원고를 가지러 왔노라!

뿔글 뿔글

살려줘요!

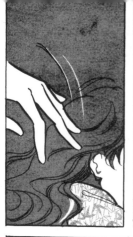

Knock!
Knock!

일어나라,
잠꾸러기!

으응···.

손님들 오실
시간이에요!
호스트가 자면
어딱해!

으응···,
지금 몇 시···.

3시야, 아가씨.
새벽이 아닌
오후 3시라구.

으아아악!
오후 3시?!
미쳤어!
미쳤어!

오빠!
이제 깨우면
어떡하니!
난 몰라!

장도 봐야 하고
엄마도 없는데!
으아아앙!

3시면 아직
멀었는데, 뭐···.
더 잘래···.

7

몰라! 몰라! 언제 목욕하고 언제 음식 만들고 해?!

남들 들으면 진짜 만드는 줄 알겠다.

과자 조금, 과일 조금 사오는 것 갖고 말이야.

게다가 그것도 내가 다 해놓았는걸?

정말?

고마워, 오빠!

이 녀석아, 감기 들겠다!

어머? 문이 열려 있네?

준희 언니!

야호!
장모님!
저희 왔습니다!

안녕하시와요!

형님!

꺄악!

다들
앞에서
만났어.

우린
아무것도
못 봤어.

뭔가
있었어?
지금?

……

속 보이고
말았다!

와 하 하 하 핫

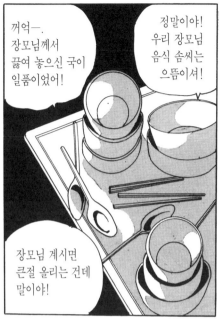

꺼억―.
장모님께서
끓여 놓으신 국이
일품이었어!

정말이야!
우리 장모님
음식 솜씨는
으뜸이셔!

장모님도 많다!
늬들은
밥 주는 사람 모두
장모님 아냐?

밥은 인생의 전부!
죄호가 말했다.

장모님 계시면
큰절 올리는 건데
말이야!

근데
태준이 말이야.
집안일 땜에
늦는다 했어도
너무 늦네?
한동네 살면서.

가까운 놈들이
지각하잖아.

오빠!
어디 가?

영계들 노는데
기운 빠져서
찬바람 맞고
기운 차리려고~.

아…, 뜰에 잠깐.

딩동 딩동
딩동

누구세요?

오태준입니다.

화채 금방
만들 거야.

Yes, Sir!

야…,
태준이 키가
더 컸구나?

형님,
오랜만이네요.

늦었습니다.

어서 들어가.
기다리고 있어,
다들.

예―.

난 태준이 보면
가슴 설레.
어릴 때 좋아했던
가수랑 닮았거든?

노래도
잘하잖아,
태준이는.

여자애들이
좋아할 타입의
남자애야.
내가 이런데
또래는
오죽할까?

너…
말이
많아졌구나?

그래! 현목 씨 때문에
할머니 됐다. 왜!

…오…셨어요?

…많이 늦었지?

저녁은….

다들 식사 끝냈겠지? 혼자 먹는 거 그런데….

그렇다고 굶어요? 여기서 드셔요. 저희가 또 먹죠 뭐.

그러세요!

그럼 애들한테 신고하고 올게.

태준 오빠 사복 입으니까 멋진데?

눈길 조심해라. 정원 언니한테 맞아죽고 싶냐?

쉿! 조용! 들리겠다!

왜 그래?

너 몰랐니? 태준 오빠, 정원 언니 JTA 커플인 거.

나… 울 오빠 불러올게. 준희 언니랑 마당에 있거든?

음~! 맛있다! 역시 지유선 손끝이 닿아야 한다니까.

…현목 씨! 혜진이한테 말하는 10%만 내게 얘기해도 좋겠어.

준희야…

내 이름은 알고 있었네?

Episode.8

준희야….

그래….
아직도 파계하지
못한 거야?
수도승 아저씨….

야~,
향기 좋은데?
혜진아!

나도 맛 좀
볼까?

주세요!

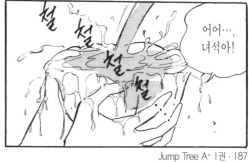

철
철
철
철

어어…,
녀석아!

넘치잖…

실어!

혜진아! 다치지 않았니?

손대지 마!

여기~! 화채가 하나 모자라….

오빠 미워!

이유가 어떻든 그래, 손님을 공포 분위기로 몰아넣고 도망치는 법이 어디 있어?

다들 눈치 채기 전에 빨리 화장 고치고 나와. 안 나오면—.

계속 이러고 있을 테냐? 유혜진, 호스트 매너 나제 접수구나!

우리 피해 거기 있는 걸로 생각하고 모두 돌아갈 거야.

아녜요, 오빠!

너… 화장실로 달아나는 게 취미인가 보다.

삐—걱

죄송해요….

벌이다!

딱—콩—

아얏!

우와, 엄살쟁이!
살짝 건드린 것
뿐인데!
하하하~.

뭐가!
정말 혹 났단 말이야!

5월 말이면…
한 달 남짓 남았구나.
그래….
첫 공연이니 만큼
더욱 열광적일 게다.

혼신을 다해
연습하는 것도
좋지만,
무리하지 마라.

예….

건강을 해칠 정도의 밤샘도 삼가하고….

필요한 것 있음 얘기하렴.

에휴…, 며칠 집에 있어 든든하더니만…. 집엔 자주 오는 거지?

번거롭게 왔다 갔다 할 거 뭐 있니? 아예 살림 내지 그래? 빨래 해줄 여자들 많잖아? 대단한 능력이셔! 정말~.

또 고약하게 군다! 오빠 보고 싶다고 심통낸 게 누구냐?

누가! 꼴도 보기 싫다! 다신 안 봤음 좋겠어! 여행을 가든 이민을 가든 무슨 상관이야!

한 그릇 갖고 되냐?
너 혼자 가서 먹고
그 손은
놓아주시지!

승주 오빠!

오마나?
이거 뭔가
야릇한데,
두 사람…?

촬영은
어땠어?
더 야윈 것
같다?

음식이 안 맞아
고생했어요.
일주일이 그렇게
길게 느껴진 건
처음이야.

재미없었구나.
일주일이
길었다니….

학교 왔으니
곧 정신없이
지내게 될 거야.
예전처럼.

물론이죠….
오빠하고 있는
시간은
순간처럼
빠른걸요….

그럼,
이번 주
보육원 봉사
갈 수 있지?

선우태림! 애들 간식 네가 다 먹을 참이냐?

아닙니다! 불량식품 확인하는 겁니다!

어떻게 됐어?

일찍 나갔다는데? 남자 전화 받고…. 네가 연락한 거 아니었니?

난 안 했어.

…더 기다리다간 늦는데.

먼저 술발하자. 정원이도 장소는 알잖아.

태준아! 인원 점검 해줘. 난 보육원에 전화할게.

아….

유선이랑 혜진이 멀미약 사러 간 것 빼고 이상 없습니다!

아직도 안 왔어? 아까 갔잖아.

구겨진 얼굴 언제 다림질 할 거냐? 이번엔 꽤 길게 간다. 대체 너~ 무슨 일이냐?

에휴~, 관둬라! 우거지상 보니까 속이 안 좋다! 체중 조절 하러 간다. 기다려!

......

......

뭐 하고 있는 거야?

참 어렵구나.
언제까지
외면할 셈이니,
날…?

그저
기다리는 수밖에….
시간이 해결해
줄 거야.

바보 같지?
난… 정말 바보가 된
기분이야.

그러니까
따라왔지.

기다리겠지?
다들…

늦지 않았어.
돌아갈까?

…오빠까지
바보 만들긴
싫어.

♫ 신데렐라는 어려서 ♪ ♫
부모님을 잃고요 ♪ 계모와...
샤바 ♫샤바 으샤바..

♫ 언니들에게 구박을 받았더래요 ♪
울었을까나... ♩
얼마나
♫

우와~.
태준이 캡이다!
애들을 완전히
사로잡는구만!

샤바.... 샤바... 으샤바
♫♪

순수한 영혼을 가진
사람이 아기들과
통한다는 거 아닙니까?
저처럼!

여긴 웬만큼
돼가는 것
같다.

조리실

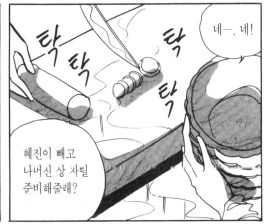

탁 탁 탁 탁

네ㅡ, 네!

혜진이 빼고
나머진 상 사릴
준비해줄래?

언니,
이제 물 부을까요?
그만 볶아도 될 것
같은데…

혜진이 너…,
태준이에 대해
뭔가…
오해하는 거 있니?

눈에 띄게 튀어.
태준이에 대한
네 태도.

예?
무슨 말씀….

태준이는 네가 어렵대.
승주 대하듯
편하게 안 되겠니?
1년간 함께할 텐데
그렇게 힘들어서야.

뭔가 다른
오해가 없는 거라면
노력해주길 바라.

…예.

자요!

어어…, 인마!
다 덜어주면
넌 뭐 먹냐?

이 녀석아!
까다로우니까
마르는 거야.
더 먹어!

오빠~,
충분해요,
전…

불쌍한 승주 오빠.
여우한테 꽉 잡혀
고생하는구나.
에구~, 회장이 뭔지…

난 가득
채워줘!

혜진아,
나도!

혜진아!

승주 오빠도
물….

대충해둬.
물 같은 거 각자
따라 먹으라
그래.

오빠….

너무너무
가슴 아픈 거 있지?
그런 헤어짐은
정말 싫어!

태준이 목에
매달려 있던 꼬마는
끝내 방에서 나오질
않았잖니….

우울한 얘긴 그만하고,
태준이 오빠 무슨 급한 일이래?
숙녀들만 그냥 보내다니!

우리가
애기냐?

승주 오빠 봐.
수경이 한동네 산다고
챙기는 거!!

어휴! 그 여우
작정했더라.
꼬리 내놓기로….

승주 오빠가
혜진이 걱정하니까
수경이 말 가로막는 거
봤지?

너 집에 안 가?
버스 왔어.
저거 놓치면
1시간 기다려야
하잖아.

오늘은
일찍 들어가.
새지 말고.
응?

그리고
…오늘 고마워요,
오빠.

들어가!

안녕….
아!

형이 설명해
줄 수 있겠군요.

태준….

오늘 정원이가 불참한 이유….

네게 보고할 이유 없어!

갈게!

오빠….

휘경 형!

비켜!

너 같은 타입 역겨워….

야! 이지현! 대체 어딜 가는 거야?

따라오지 말라고 했지.

느닷없이 버스에서 뛰어내리는데 어떻게 그냥 갈 수 있어?

좋은 말 할 때 가라~. 따라와도 넌 들어가지 못해.

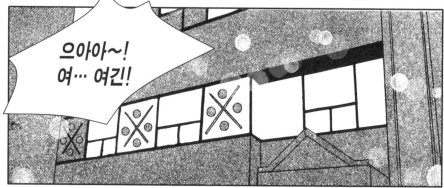

으아아~! 여… 여긴!

것 봐! 내가 뭐랬니?

너… 너! 미쳤구나! 언제부터 여기 다녔어?

생사람 잡지 마! 나도 첨이니까! 그럼, 잘 가라!

지현아!

Episode.9

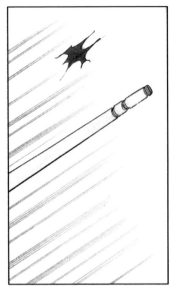

그 손 치워!

뭐야…?
큐대로
펜싱이라도
할 참인가?

휘경 오빠!

따라 와!

민휘경—.
뒷마무리
깔끔하다던데…
헛소문이었나?

목에 칼 들어간
기분이 어때?
너님이 나님께
방금 지랄 떤….

탁

으잉?

멍청한 놈!

세금 늘리는
방법도
가지가지다!

경아,
너….

진짜 펜싱
하고 싶냐?

그땐 이런
나무 막대로
놀지 않아,
새꺄!

언니!

오늘은 별로
반갑지 않다.
시끄러운 건
딱 질색이야.
어서 꺼져줘.

여기 관리가
많이 소홀해
졌구나.

너야말로
신경 좀 써라.
아가들 데리고
골목대장이라도
하는 거야?

싫어!

지현아!

싫다구!

말 안 들을 거야?

미성년자 출입 금지가 이유라면 오빠도 마찬가지 아냐?

남성 전용 구역이라면 경아 언니는 뭐야?

어휴

이지현! 그런 데는 날라리들이나 출입하는 거야. 깡패나 그런… 불량…학…생.

아…, 그러니까 휘경 오빠는 빼고 ….

맞아. 아가들이 올 곳이 못 돼.

오빠도 오지 마! 아니면 나도 매일 이리로 출근할 거야!

너 요즘 왜 이러니?

…그건 내가 하고 싶은 말이야. 오빠 찾으려면 이런 곳에 와야 해, 언제부턴가….

피아노 있는 곳이면 보았던 오빠였는데….

……

뭔가 분위기가…, 지현이랑 휘경 오빠….

너에 대해
무심해지는 건
불가능해…

아니,
할 수 없어!

이런 식으로는
너무 힘들어.
혼란한 건
너뿐만이 아냐!

들어가야 돼.

일방적인 건
항상 너야!

사람을
몰아칠 땐
도망칠 구석을
남겨줘야
하는 거야.

나도 하고 싶은
말이 많아!

우리가 왜 이렇게 됐는지 모르겠어!

넌 나의 가장 편한 친구였는데….

화가 나!

격 없이 지내던 여자 친구의 프로포즈…. 당황할 수 있는 거잖아.

흑백논리로 결론짓는 건 너무 성급해.

사랑한다,
안 한다…,
그런 짧은
말 한마디로
표현하기
어려웠어.

널 부정한 게
아니야.

내가
무슨 자격으로
널 거절할 수
있겠어…

다시 너와
웃을 수 있다면
내 시간 전부를
팔아도 좋겠어.

친구를
잃고 싶지
않아.

왜 이렇게 늦었니?
일찍 헤어졌다며….

엄마,
탐정 붙였어요,
나한테?

탐정들이야 많지.
너 푼수 떠는 거
다 보고 있다.

배고파!

오빠 전화 왔었다.
너 심통 안 부리냐
묻더라.
또 전화한댔어.

누가
전화 받는대?
흥!

따르르르릉..

후다다닥

그게 전화
안 받는 거냐?

꼭 오빠
전화란 법이
어딨어요?

왜
전화했어?

무사히
잘 들어갔나 해서.
혹시 안 잡혀갔나
하고….

인기가
없나 봐.
너무 잘
들어왔어.

오빠…, 뭐 또
할 얘기 없지ㅡ?
나 국 올려놨어.
밥 먹어야 해.

이거…
계속 기운 빼네?
파다닥 쿵! 들었어?
내 인기 추락하는
소리야.

그래…, 쉬어.
낼 보자.
꿈 잘 꾸고ㅡ.

응~. 오빠,
부러진 날개
조심해!

철
칵…

정말…
Broken
Wings로군….

정말 열광적이군! 대체 혜진이 어디가 예쁘다고 봉사하지 못해 안달이냐, 넌?!

그러게 말이야.

외모가 출중하냐—, 성질이 무난하냐—, 공부를 잘하냐?

그래, 용 돼라! 용 돼!

그러니까 늬들은 신데렐라 언니 같다는 소릴 듣는 거야. 불쌍한 신데렐라 혜진이….

사바 사바 ♪ 으사바 ♪ 얼마나 훔쳤을까…

헤이! 헤이!

신데렐라 타령 지겹다! 지겨워!

위문 공연 왔는데 왜 이래?

이제 레퍼토리 좀 바꿔라!

그럼 스토리 고민하는 그대들을 위해 재밌는 얘기를 하나 해주지.

어느 동물 학교에 짓궂은 여우가 전학을 왔댄다. 지현이처럼 생긴 여우였어.

FOX FOX FOX FOX FOX

하하―. 상상이 간다. 그래서?

근데 새 친구들에게 하는 인사 방법이 좀 심했어. 뾰족한 송곳으로 친구들 등판을 찌르고 그들이 돌아보면 "안녕? 나, 여우야!" 했단다.

유선이 같은 하마도 휘경 형 같은 표범도 승주 형 같은 양도 모두 화를 냈지?

하마 싫어! 코끼리로 해줘!

여우는 열심히 찌르고 다니며 인사를 했어. 마지막 남은 고슴도치 친구에게도 인사를 했지. 혜진이처럼 아주~ 아주~ 귀여운 고슴도치였어.

내가 왜 고슴도치야!

딱이다, 야! 너 웅크리고 삐져 있을 땐 꼭 그래!

근데, 그 고슴도치는 유일하게 화를 내지 않았어.

오히려 미소 지으며 돌아보면서… 뭐라고 했는지 알아?

뭔데~?

매일 보는
학교도 지겨운데
도화지에까지
옮겨야 해요?
아으~, 싫다…

주제가 풍경이
아니어도 돼.
내가 주제를
정해줄까?

자—,
내가 모델이
돼줄 테니
날 그려라!

그리고
날 연모하는 감정을
솔직하게 써 내려가다 보면
어느새 한 편의 시가
완성될 거야.

투다다닥

우우~!
물러가라!!

왜들 이래?
난 도와주려고
한 거야!

그나마 있던
시상이 다~
흐려졌어!

짜식들!
재미있게 놀고 있구나!
그때가 좋으니라.
철없이 찧고 까불 수
있는 자유~.

김밥 싸왔지?
소풍 아니냐, 소풍!
도시락들 안 풀어?
점심시간인데.

우아~,
그렇네!
밥 먹어야지,
밥!

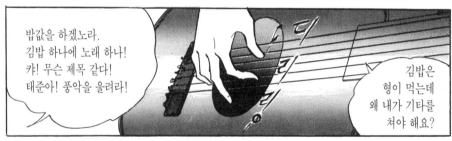

밥값을 하겠노라.
김밥 하나에 노래 하나!
캬! 무슨 제목 같다!
태준아! 풍악을 울려라!

김밥은
형이 먹는데
왜 내가 기타를
쳐야 해요?

마! 사부 아니냐, 내가!
4대 JTA 기타맨,
전부 이 몸이 갈고닦아준 걸
배은망덕하게 잊다니!

김밥 ♪
김밥!
게맛살 김밥.

어이—,
모자란다!
김밥~~.

선배냐…
김밥이냐….
본능과 도리 중
뭐가 중헌디~!

티잉!

펑!

엇!

으악!

죄송해요,
오빠….
어떡하지?
일단 휴지로….

이런! 이런!
더 뭉개졌네?
와…, 혜진이 팔
떨리는 것 봐.

태준이 와이셔츠
책임져야지 뭐.
효효효~~~~.
태준이는 좋겠다!!!
혜진이가 세탁하는
옷도 입어보고.
하하―.

그러다 평생
책임지는 거 아냐?
하하하―.

와….
혜진이 너,
요즘 왜 이러니?

정…말
죄송…, 죄….

…괜찮아,
혜진아!

어어~.
저러다 울겠네,
혜진이…?

떡볶이
800

김밥
750

그만해요~, 형!
무안하게
자꾸….

그까짓 게 뭐
울 일이야?
정말 울어?
…어…, 정말인가
보네?

유혜진~~.
장난 갖고
뭘 그래….

됐어,
혜진아~.

혜진아!

Episode.10

그럴까?
재영 오빠가 이유?
그렇게 생각되지
않는데, 난….

야! 이지현!
무슨 말이
하고 싶은 거야?

유혜진!
너 정말 몰라?

그럼 둘 중 하나야.
정신 연령이 한참 낮거나,
네 자신을 속이고 있는 거야.
솔직하게 귀 기울여
네 마음의 소리를 들어봐.

승주 오빠여도
그랬을까?
휘경 오빠나
태림이도?

무슨 뜻이니,
너?

너,
바보냐?

태준 오빠가
이유란 소리다!
한마디로 네가
태준 오빠를 의식한단
소리지.

난
태준 오빠
싫어!

뭐… 그렇게
흥분할 것 없어, 애.
의식한다고 했지
좋아한댔어?
너무 싫어서
신경 쓰이는 것도
의식 아니니?

놀래라…

이지현!
말장난하냐,
너 지금?

친구 문제
심각하게
연구 분석
하는 거야.

태준 오빠 어디가
그렇게 밉지?
혹시 우리 몰래 혜진이
꼬집은 거 아닐까?
원한이 맺힐 정도로.

그만해!
그냥 싫은 사람도
있는 거지,
꼭 이유를 달아야
하냐?

무슨
소리야?

'나와라, 눈물'은
현목이 형 몫
아니었나?

어려워,
승주 오빠!

지금 왠지…
예감이 좋지 않아.
뭔가… 가슴에
바람이 부는 것
같기도 하고…

오빠!
나 때문에
속상하구나.

집에서도 많이 혼나.
버릇없이 군다고….
한번 기분 틀어지면
분위기 파악 못하고
제멋대로거든ㅡ.
에휴…, 나도 속상해!

혜진아…,
손 잡아도 되니?

…으응?

…응.

이제…
더 이상 네가 기대어
울 어깨는 현목이 형이
아닐 거야.

…어느새
네가 기댔던 어깨 너머를
볼 수 있을 만큼 클 테지.

그때… 너의 시선이
머무는 곳은 어디일까….

어떤 꼬맹이가
이렇게 하더군….
귀엽지?

누가?

김재영, 나…
많이 변했을까?
옛날보다….

물론이지.
지킬 박사와
하이드처럼.

그 끝이
어떻게 되더라?

죽었지,
아마….

민휘경, 너!

보고 싶은 아이가 있어.

만날 수 있을까?

까불래, 너~!!!

도망치게 해줘서 고마워….

급성맹장이래,
지유선!!

오늘 새벽에,
자다가 침대에서
굴러떨어지고
난리가 났었대.

병문안은 좋지만
너무 폐가 되지
않도록 한다.

환자 안정을 위해
가까운 친구 몇 명이
대표로 가는 것도
좋겠지.

어젯밤
떡볶이 잘 먹고
헤어졌는데….

부러운 유선이!
하얀 병실에 누워
병문안 받으면서
수업도 안 받고
좋~겠다!
우우….

뭐야!
한참 찾았잖아.
병원에
안 갈 거야?

야!
이지현.

왜 그래?
얼굴빛이
안 좋은데?

이번 기회에
우리 단체로
입원할까?

휘경 오빠
떠났다.
언제 올지
모른대….

벌써 소식
들었구나….

떠나다니?
학교는 어쩌구?

마! 휘경 형을 밀로 보는 거야? 하여튼 여자애들이란….

휘경 오빠 어떡하지, 이제…?

괜히 햄릿이란 이름 붙은 줄 알아? 휘경 형, 생각 깊은 사람이라구.

신중히 생각하고 행동한 게 틀림없어.

형이 어떤 처지인지 가까이서 봐왔잖아. 우린… 믿고 기다리는 수밖에 없다는 것까지 넌 잘 알잖아.

그래…, 태림아. 아무 일 없겠지? 울 휘경 오빠 괜찮겠지?

이지현…

…너도
바보였구나?

뭐가!

찔찔 짜는 게
아무래도
혜진이 영향이
크다 싶어!

뭐야!
고로 내가
바보라는 거야?

어머나?
혜진이가
옆에 있는 걸
깜빡했네─.

자! 가자, 가!
귀염둥이들~!!!
유선이가 애타게
기다릴 거야.

어머?

어머?

또! 또!
장난이다!
이 건방진
치타!!!

투닥 투닥

아얏!

혜진아,
살려줘!

질...질...

보이지 않는 그 무엇,
그건 너희들이
소꿉친구 때부터 쌓아온
시간의 벽일까?

요즘 난… 외롭다.

모두 날 내버려두고
떠난 것 같아.

오빠…,

보고 싶단 말
다신 하지 않기로
했는데…

…이런 날은
가슴이 터지도록
울고 싶어.

지유선, 이지현,
선우태림….
가끔 너희들에겐
내가 접근할 수 없는
느낌이 들어….

이것들 보세요,
환자들이 잠을
잘 수가 없잖아요!

그만들
나가주세요!

우린 위문 공연…,
아니…, 죄송합니다!

너두
어서 가!
늦었잖니.

혜진아!

빨리 나아,
유선아!
나… 너 없으니까
많이 외롭다.

애가…
왜 코맹맹이 소릴
내고 그래?
누가 너 괴롭혔어?
어떤 놈이야?

몰라—.
나, 너의 열렬한
팬이었나 봐.

며칠만 있음
곧 나갈 텐데 뭐—.
몇 배로
사랑해줄게!

고맙다.

유혜진!

혜진이…
맞구나!

정원 언니!

꽤 늦은 시간인데…
이 동네엔 웬일이야?

유선이
문병 다녀가요.
맹장 수술
했거든요.

어머! 그래?
유선이
괜찮니?

예ㅡ.
곧 퇴원할 수
있대요.

회수권이
다 팔렸나 봐,
여긴….

어?
혜진아!

유선이
병문안 왔었대.

잘 됐다!
두 사람
방향이 같지?
같이 가면
되겠네.

그럼
나 들어갈게.
잘 가,
혜진아—!

아…,
안녕히 가세요.

전화할게.

조심히 가.
숙녀 에스코트
잘 하구.

…늦었구나,
꽤….

예에….

Episode.11

그때까지
건강해야 해,
오빠.

씩씩한 모습으로
돌아와야 해.

꼭—.

내 어린 뮤즈는
세상을 온통 사랑이라
노래한다.

아파시오나토,
그렇게 사랑은 너.

칸타빌레,
그렇게 세상은 사랑.

모데라토,
그렇게 칠해지는
나의 꿈….

나의 노래 아다지오—.
나의 꿈 알레그로—.
나의 소원 아다지오—.
나의 삶 알레그로—.

…예?

우리 정식으로
정면 한번 보자.
유혜진!
너랑 눈 한번 제대로
맞춰보자구.

뭐… 뭐예요,
태준 오빠!

요즘은 후배들이
더 무서우니까,

어떡하면
사랑 받나
고민하며
산다는 거지.

……

고집 세고 잘 울고
오빠를 좋아하고….

…묘한
유대관계구나.
여자들의 감성을
이해하기란
무리겠지만….

아침에도 볼 수 있으면 보자.

태준 오빠, 무리하지 마세요!

내 얼굴 볼 시각이면 지각 각오해야 할걸요?

하아하

안녕히 가세요.

잘 자! 오늘 데이트 즐거웠어.

당신을 알게 되어
기뻤습니다···
····

오늘은
'mind&mind'
시간을 갖겠다.
각자 받은 종이 윗부분에
자신의 이름을 적고
시계 방향으로 돌린다.

차례로 옆 사람에게
전해 받은 종이에 적힌
상대의 이름을 보고
평소 그에 대한 생각을
정중한 진심을 담아
솔직하게 쓰도록.

예를 들면
선우태림은
너무 완벽해서
싫다라고 써도
좋단 말씀이죠.

너에 대한 의견은
하나! 만장일치!
'치타! 고향으로
돌아가라!' 일걸?

그럼 너도 같이
정글로 가는 거다,
여우!
고슴도치도!

또...
고슴도치!

으아아...

휘경 오빠
어릴 적에
꽤 귀여웠다.

오빠랑 우리 셋,
같은 초등학교 다녔었는데
휘경 오빤 이사 가고
우리끼리 남녀공학
중학교 갔어.

우리 셋은
유치원 때부터
줄곧 봐와야 했던
지겹고 불행한
관계라 할 수 있지.

너 설거지
다 했어?
또 대충 했지!

장모님이
내 꼼꼼한 솜씨를
인정하셨음에도
넌 왜 그러냐?
트집이 날로
느는구나, 응?

울 엄마가 왜 네 장모님이냐? 자꾸 헛소리 할래?

야, 이지현! 뭐가 느끼는 거 없냐?

…뭘?

지금 우리 많이 보던 장면 아니냐?

줄리엣 보려고 테라스 창과 나무에 몸을 의지하고 간신히 매달려 있던 로미오.

어이~, 치타~! 이쪽은 세탁실이야. 베란다 쪽 창틀에 매달린 너같이 못생긴 로미오는 본 적 없다.

야! 솔직히 네가 줄리엣 발톱이나 되냐? 상상력으로 보는 거지.

내가 보기엔 둘 다 아닌데. 키키킥….

맞아! 줄리엣은 혜진이다! 긴 머리 하며….

그러셔~. 자, 모자도 씌워주랴?

집안끼리 아는 사이라
난 오빠를 자주 봤지만,
태림이, 유선이는 오랜만이라
첨엔 휘경 오빨 못 알아봤지.
나중에 알고 서로 놀라는 거
무지 웃겼다니까~.
아하하하ー.

맞아! 첨에 유선이
휘경 오빠 막 욕했잖아! 큭큭!
…하긴 꼬맹이 때 모습과는
엄청 달라졌을 테니 뭐….

언뜻 보기엔
많이 거칠어진 듯
보였으니까.
하지만…
휘경 오빠 그대로야.
여전히 피아노를
사랑하고…
순수하고….

너무 사랑해서
자신의 손을 자해했지만,
…언젠가 결국
오빠는 피아노 곁으로
돌아올 거야.

…휘경 오빠,
왜 피아노를
떠난 거야?

…휘경 오빠는
피아노를
빼앗겼었어.

mind 시간에
한풀이 한 녀석들
많다며?
하하하~.

충격 먹은
녀석들 많겠네?

오빠는!
매도하지 말아!
서로 더 친근해지고
자신에게
피가 되고 살이 되는
보석 같은 말들을 나누는
시간이었어요.

마귀할멈 어른 됐네?
너 옛날에 나한테
뭐라고 썼냐?
마귀할멈 소리 하면
가마솥에 삶는다며?
칼이랑 폭탄도
던지면서….

어휴, 정말!
글쎄 그건
내가 쓰지 않았다니까~.
아직도 오해하고
있어?

또…
시작이네.

인마! 마귀할멈이 너 말고 또 있냐?

누군지 모략이었어! 이 바보! 계속할 테냐?

어이! 두 분! 부부싸움은 집에 가서 하셔야죠!

승주, 너!

아! 실수!

하지만 사랑 싸움처럼 보였걸랑?

응...

관객은 정확해요. 참고하시라!

흥분하면 더 오해하지, 짜샤! 자! 퇴장하자. 너희 가게 들렀다 가야 해.

연훈 오빠 혼자 가든지 말든지 해.

정말 삐쳤나 보네?

매희야!!

걱정 마~. 저 녀석 장난치는 거야. 수고들 해라. 먼저 갈게.

중간고사,
기말고사 끝나면
여름방학….
정말 쏜살같은
시간이야.

JTA 연합회
하기 수련회
신청서도 곧
작성하겠네.

이번에도
용문 캠프인가?

아마도….

후아~. 1학년들!
그 괴물들 통솔하려면
머리카락 빠질 텐데….
아무리 요즘 세대 차이가
매 초마다 있다지만…
이번 녀석들은
거의 공포야.

하하~. 천하의 리더십을 가진 네가 그럴 정도면 우린 어떻겠어. 안 그래, 회장?

너…,

낯설게 왜 그래?

회장은 조건 없이 믿어지는 사람인가? 신뢰할 수 있는 사람, 마음으로부터 믿어지는 사람,

모두에게 절대적인 신념을 주는 사람.

핵심이 뭐냐?

누구에게나 공평, 친절하고 인제나 변함없는 스탠다드.

다수의 평화를
지킬 수 있지만
특별한 하나에
의미를 두긴
어렵지.

특별함도
여러 가지가 있어.
네가 말하는 게
구체적으로 뭐야?

바른 자세를
항상 유지하려면
초긴장 상태가
되어야 하니…
답답할 거라
걱정했어.

한 번쯤 무너져
보기도 하고…
그것이 인간답지
않나 하고.

비인간적이라.
그럼 내가
야수로 보이냐?

그보다, 의외의
새로운 발견을 했지.
혜진이가 너하곤
쉴 새 없이 재잘재잘
떠든다는 사실.

어젯밤,
데이트 때 그 아이가
내게 한 말의 99%는
예, 아니오
뿐이었으니까.

Episode.12

…그랬어?

이런….
기대 이하인데?
너무 신통치 않은
반응! 김승주!

원하는 게 뭐야?
내 쪽에 안테나를
바짝 세우고
뭘 기대했던 거지?

워낙 그렇게
길들여진 거야?
뛰어난
자제력인 거야?

승주야.

조심해야겠구나.
별로 유쾌한
관심은 아닌데?

글쎄…,
집 방향이 같아
함께 가는 것도
데이트라면…
태준 오빠랑 수십 번
데이트 한 건가…?

무엇이라?!!
태준 형이랑?

너… 언제
그 형이랑
화해했냐?

우리가 싸웠냐?
화해라니…?

그치만…

…뭐야?
결국 혜진이 너도…
그런 거냐?

…무슨 소리야?
결국이라니?

아냐,
그냥….

……

어? 아직
안 주무셨어요,
어머니?

너도 고생이
많구나.
주스 한 잔
만들어줄까?

됐어요, 어머니.
피곤하신데
빨리 주무세요.

…승주야!

예?

열여덟에 어울리는
어리광도 있어.

넌 유치원 때 이후로
뭔가 조르는 일이 없었지….
이러다가 대학생 될 때 쯤엔
할아버지 되는 거 아니냐?

하하하~.
어머니도….
필요한 건
미리 다 알아서
해주시니까
그렇죠.

그뿐 아니야.
의미는 좀 다르지만
품 안에 자식이란
말 실감 난다.

후훗~. 생각나니?
너 꼬마 때 안아달라고
많이도 매달렸지….
지금이야 너무 커서
안아줄 수도 없지만.

어머?

지금도 충분히
안길 수 있는데요,
어머니….

그래….
넌 네기 좀
어려졌으면
좋겠구나.

타협과 의견 존중….

아직은 우리에게
서툰 부분이
아닐까?

그런데 넌…
부모님 나이만큼
익숙해져 있는 것
같아.

펀치!

펀치!

펀치!

정말~
펀치 일색이군!

고집 센 것이
자랑은 아니지?

머리 풀어라.
분위기가 훨씬
좋을 거야….

그래—.
이건 엄마도 마찬가지.
쫑쫑 댕기머리
지겹지 않니?

그건 교복 입고
학교 가는 거랑 같아.
엄만 잠옷 입고
나갈 수 있어요?

어쨌거나 밖에서의
우리 혜진이 평가가
나쁘지 않은데?
집에서보단 어리광
안 피우나 보군?

엄마~!

내가 안 썼어!
정말이야!

너 말고
누가 있겠어?

나 말고 또
그렇게 생각하는
사람이 있었겠지
뭐….

애는 내가 잘 알아!
그리고 누가 썼든
알아내서 뭐 하게?
마인드의 목적이
뭐냐?

맞다!
맞다!

역시 나의
타잔이야!

누가 뭐래?
난… 그냥 태림이가 평소
자주 하는 소리니까
혹시나 하고….

…근데 뭐냐?
신경질적인 목소리,
힐책하는 말투….
듣기 거북하다,
지유선!

어마,
그렇게 들렸어?

병원에서 잠시
쉬다 왔더니 몸이
예전 같지 않나?
이히….

과잉반응 아니니?
그냥 평범했는데,
난….

평범하게
무안 주는 재주도
보통은 아냐.

계속 꼬네?
무안 당한 애가
기 하나 안 죽고
잘만 떠드네?

너무 무안하거나
두려우면 화나고
신경질 뻗친다, 왜!

애들이 왜 이래?
심각하게.

소속을
밝혀!
캬캬!

웃긴다!
언제는
찰떡궁합이더니.
놀고 있다, 얘.

어, 승주
오빠다!

수경이 보러
온 거 아닐까?

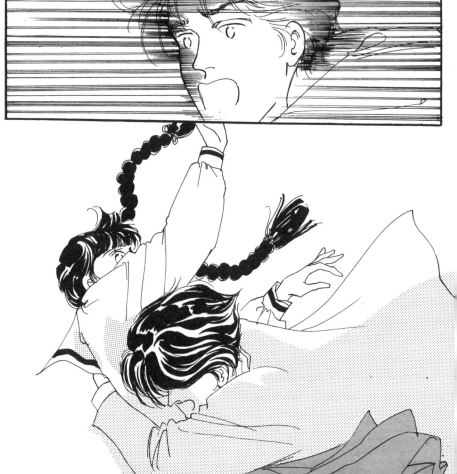

엄마~~! 엄마~~!

혜진아! 혜진아, 괜찮아! 진정해!

큰일날 뻔했다, 정말. 혜진아….

많이 놀랐구나, 이 녀석….

엉엉

엄마~! 엄마~!

너무 찐~하다, 야….

저럴 수가!

여자들이란….

쾅

쾅

쾅

혜진아! 괜찮니?

야…, 이거! 이거!
정말 아슬했다!
현목이 형한테
맞아 죽을 뻔했지
뭐냐?

형도 참….
혜진이 지금
제정신 아네요.

…아!

정신이
들어?

오빠….

고맙다!
살아줘서!
날 살렸구나,
혜신아!

으응…

혜진아!

대단한 순발력이야!
어디에 그런 날렵함이
숨이 있었지?
맹물인 줄 알았는데
다시 봐야겠어, 김승주!

그만해요,
형!

혜진이가 아닌
그 누구였어도
그랬겠지?

지금처럼 창백해져
있진 않겠지만….
너도 좀 눕지 그래?
손도 떨고 있는데.
부들부들~.

재영 형…,
무슨….

하하하~.
순진하긴!

현목 씨가 젤 멋졌어!
그거 모르죠?
다들 그렇게
느꼈을걸?

곧 주연이
바뀔 거라구.
후후훗~.

이것이
현목 씨가 찾은 자유?
…당신의 꿈?

글쎄….

허얼~.
겨우 이름만 있네?
그것도 최하단에!!
이거 너무하잖아!

대체 스타를
뭘로 보는 거야?
현목이 형님을
이렇게 대할 수
있는 거냐?
눈들이 멀었다!
우~, 열받네!

다 같이
연극 보러 가서
극장을 완전히
들었다 놓자구!

어때,
혜진아?

……

혜진아!

Episode.13

오빠
이 시간에 다녀요?
난 평소보다 많이 늦었어요.
열차 여섯 대까지
그냥 보냈죠.

그 후로
몇 대가 더
지나갔는지…
몰라요.

뭐…
안 좋은 일
있어?

그렇게 보여요?

평소와 달리
말이 많은 건 뭔가…
심적으로 불안한
상태일 때 그렇지.
아까의 긴장이
남아 있는 건가…?

글쎄요….

…연극 보러
갔었어?

현목이 형하고
아직 풀리지
않은 거야?

생각 한다….♪

무슨 생각~.

오빠 생각~.♪

혼자 다 하는군.

맞았니? 틀렸니? 맞았다~!♪

틀렸다!

아직도 계엄령 중이야?

독립국 자유인한테 그게 무슨 상관이람?

…포스터 봤다….

애들이 보러 간대. 스타한테 기죽지 말라고 꽃다발 준비한다더라? 행복하시겠어요~. 팬들 많아서!

…너도?

탈퇴했어! 극성팬들… 무서워.

어떡하지?
안 그래도
의기소침해져
있는데….

정말 대단하더라!
주연 배우 인기가
하늘을 찌르니까
단역 배우 눈물
더욱 짜게
느껴지던데….

어떤 배역이든
재능에 튀고 죽는 거지!
억울하면 크도록 노력해!!
바보~!!!
왜 벌써부터
기운 빼고 있니?

그러려면
아예 그만둬!
인기가 처음부터
목표라면!

…뭘 실실
웃는 거야?

엑설런트!
유혜진!

안심했대….

그렇지, 뭐….
내가 시큰둥하니까
울 오빠가 장난친 거야.
응…. 난 뻔히 알면서도
열이 났었어!

그래….
우스운 것 같지만
결코 우습지만은
않아.

결국 삐죽대면서도
울 오빠 커피를 또
타주었다는 거지~.
못 말려….

오빠에겐 확실한
신념 같은 게 있어.
그래, 난
울 오빠 믿고 있다.
물론이지!
절대적 믿음!

그래, 나도
그만 자야겠다.
응…. 잘 자!

참 이상하지…?
형제끼린 특별히
사과하지 않아도
어느새 용서되고
히히덕거리게
되는 거….

오빠…,

난 정말 문제가
많은 앤가 봐….

요즘 내 마음 속엔
바람이 가끔 분다.

그게 뭔지…
잘 모르겠지만
하여튼 그래….

으하하하~!
난생 처음 특별 초대석
앉아보겠네?
역시 최고, 현목 오라버니!

…뭐, …공짜 좋아한다고
오해는 말아줘.
내 손으로 직접 표를 사서
갈 예정이었는데
오라버니께서 먼저
초대해주신 거고,
거절은… 실례잖니?

대신 붉은 장미로 마음을 전할 거야! 능력 닿는대로 이백 송이 정도…. 사랑의 장미~.

과소비의 주범이 여기 있었구만~! 피땀 흘려 일하는 사람 따로, 쓰는 사람 따로.

얘가! 아름다운 이야기를 지루하게 몰고 가네? 왜 시를 논문으로 받아? 하룻밤 새 감성이 삭았냐? 크히히히ㅡ.

승주 오빠들 오늘… 시간 될까?

승주 오빠는 현목 오빠 광팬이니 무슨 일이 있어도 따라올 거다.

응…. JTA 식구… 시간 되는 사람들 다 같이 오랬어. 누가 있지, 또…?

휘경 오빠는 연락할 수 없고….

응…?

좀… 비켜주겠어?

어머!
안녕하세요,
매희 언니.

야…,
Sweet Heart!
로맨틱한데!

아이 같죠?
땋으니까.

예뻐! 예뻐!
사랑스러운데~.
쫑쫑 땋은 머리
혜진이보다 낫다.

각자 개성이고
취향이지.
험담하냐?

혜진이는 머리 모양
신경 쓸 필요 있어!
풀면 여러 모양으로
훨씬 예쁠 텐데!

빗발치는 항의의 소리들!

혜진이 머리를 풀어 달라!
—독자들

와—

그럼, 혜진이 머리 모양을
원 하는대로 그려 보내 주세요
!

자! 그럼 누나는
이만 퇴장해줄게!
더블 데이트라 해서
기대했더니만
기사가 아니고
공주님이네?

퇴장 안 해도 돼.
같이 얘기하자.
MT 건의 사항도
듣고….

노우… 땡큐!

오빠…, 나랑 둘이서만 얘기하는 거 부담스러워요?

무슨 소리야?

매희 언니… 함께 계실 줄 몰랐어요.

아아…, 우연히 만났어. 여기 산책 코스잖아.

…어제 놀라셨죠? 밤 늦게 전화해서….

그보다 잠은 좀 잔 거야? 요즘 장난전화 문제 정말 심각해서…. 너처럼 얼굴이 알려져 있는 경우엔 걱정이 더 크겠다.

무서웠어요. 부모님 출장 가셔서 저 혼자 있었거든요. 누군가 아는 목소리를 듣지 않고는 안심이 되질 않았어요.

…고마워요.

뛰어서 5분
이웃이니까
도움이 필요하면
언제든 전화해.

어제 수첩을 들여다보며
문득 생각하게 됐는데…
부담없이 전화할 친구가
하나도 없었단 거예요.
CF를 하기 전까지는
친구도 많았고…

아니…, 내게 문제가
있었는지도 몰라요.
어느새 변하고선
눈치채지 못하는지도….
감정은 서로 전해지는 건데
부담의 무게만큼 나 역시
그들에게 불편함을
주고 있었다 생각하니…,

갑자기
죽고 싶을 만큼
외롭단 생각이
들었어요….

그건 누구나
흔히 경험하는 일이야.
나도 그럴 때가 있는걸.
세상 모든 게 그대로인데
나만 소외된 느낌.

응. 그래서 가끔 학교를 그만두고 연예 활동에만 전념하고 싶단 생각도 해요.

학교가 주는 것은 교과서 지식 전달만이 아냐. 단체 생활을 통해 사회를 배운다는 것. 학교라는 이름의 매트리스를 깔고 구르며 점프도 하고….

수경이도 이미 다 알고 있는 것들이지?

그래요. JTA도 만날 수 있었고…. 그것만으로도 학교는 커다란 의미가 된걸요.

맞아!!! JTA는 평생 추억이 될 거야.

수경이는 여름 캠프 모르지? 이번엔 꼭 참여해. 또다른 JTA 왕국을 만나게 될 테니까.

…오빠,
내 부탁 하나
들어줄래요?

맘에 드는 영화도 보고
일곱 가지로 믹스된
아이스크림도 먹고….

난…
어딘가에 응석을
부리고 싶어요.
그저 누군가 내 이야길
듣고만 있어도 좋겠어요.

우린…
타인을 통해
자신의 모습을
본다.

아쉬운 시절에 만난
눈부신 계절….

야아….

I'm your man.

아아….
시간의 춤,
태양의 유희….

가는 곳마다
페어구만! 흐응….
외기러기 서러워
살겠냐, 어디?

승주는 어쩌고?
캠프 계획서
함께 짜기로
했잖아.

그 자식이
바람났어요~~!
쫓겨 왔다는 거
아니냐, 내가~.
어흐흐흑!

헤헤헤~. 농담!
카운셀링 중이란다.
걘 너무 사방팔방
맘 좋아 탈이야.

회장들 특성이야.
불쌍한 승주!
전체를 돌보는 건
어려운 일이야,
정말~.

혜진이랑
있니?
승주….

아니,
수경이
하고….

그앤 정말 예뻐!
여자들이 이런데
총각들 가슴이야
오죽할까~. 하하~.

…수경이?

하핫~.
찾았다~!!!
여기들 모여
계셨군요!

안녕하세요!!

왜 또
바글바글
몰려오는 거야?
정신없게.

영계 좋아하시면서
왜 그래요, 누나?
제가 영계 아닙니까.
날계란!

오늘~ 연극의 밤에
여러분을 모시려 합니다!
촉촉한 순수 감성으로
가슴을 적시고 싶으신
맑은 영혼의 소유자만
발가락 들어주세요!

어디,
약장수 온대?

꼭 그렇게
드러내야 해요, 누님?
평소에 약장수 서커스단
쫓아다닌 거.

야! 계란!
말하는 계란이
어딨어?
조용 안 해?

악수하자!

예…?

잘됐다!

뭐… 뭐가요?

뭐야, 두 사람?
빨리 안 밝혀?
내용이 뭐냐?

그런 게
있어!

뭐냐,
혜진아?

저도 잘
모르겠어요.
무슨 소린지…

승주도
간다지?

승주 형
지금 교실에
없더라고요.

생활관
뒤뜰에 있을걸?
자리 옮기지
않았다면….

승주 꼭
데리고 와,
혜진아!

…예?

두 사람…
이제 어색하지
않은데?

그럼!
내가 양쪽으로
붙여주려고
얼마나 힘썼는데!

태준이가
상냥해서 잘~
리드한 거지 뭐.
누구라도
부드럽게~.

부드럽지….
그 애가 운전을
하게 된다면
실키 드라이버가
될 거야….

늬들…,
이제 괜찮은 거니?
조마조마했어, 너….

고정관념이란
쉽게 바뀌지
않는 건가 봐…

혁명이 필요한데
난… 그만한
용기가 없거든?

혜진이가 형을 얼마나 기다렸는데.

제 자리에 없으니 정보가 늦잖아. 현목이 형 만나러 가기로 했어요, 오늘….

어떡하지?

선약이 있어….

무슨 일인데요? 심각한 일 아니면 돌리지 그래요? 연극에 같이 데려가든가….

다음에 보러 가지 뭐….

무슨 일… 있는 거 아니죠?

그런 거 아냐.

Episode.14

와—!
최고다!

유현목
멋쟁이!

온통 감동의
물결입니다! 형님!
제 가슴 속의
파도 소리
들리시죠?

사인해줘요,
오빠!

꽃집 차릴 일 있냐, 이 녀석들아! 웬 꽃들을 이렇게 많이 사갖고 왔어?

스타에게 프로포즈하는 가장 쉬운 방법이라고 DL에서 읽었어요. 제 맘을 받아주세요, 오라버니!

혜진이는 더 해요! 꽃집에서 제일 수선스러웠는데요?

못 믿겠는데? 혜진이는 오지 않겠다 했거든.

우와…. 애 어딨니? 이럴 수가!

멋진 봄

안 가면 죽인다고 우리를 몰고 와놓고 뒤로 빠졌어. 어디 갔냐? 아수라 소녀~!!!

유혜진! 너 꽃다발 오빠 안 드려? 몇 달치 용돈 털어 사고서.

인마! 이렇게 거칠게 굴지 않아도 내려주….

팡

바보!

팡

항상 어린애 취급이야! 오빤 때와 장소도 없니?!

이 녀석…

두고볼 여지가 전혀 없구나, 돌연변이!

또… 그 소리!

부르르…

형님! 아이고오~!
왔구나아~~~!
돌아온 탕자여!

오

휘경 혀엉~!
보고 싶었사와요오~!
엉엉엉…!!

기뻐요,
유선이는…!
오신 것만으로도.

정말 그럴 수
있는 거야?
극적인 연출에
재미 붙이셨어?
유명세 내?

재미없는 나날이었어,
정말…
잘 지냈어요?

오랜만이군요….

너희도…
잘 지낸 것
같군….

오빠!
제 꽃도…
받으세요.

으악!
부루투스…,
너마저!

뭡니까, 이거?
줬다 뺏었다
지조 없는 여인!
그새 변심하냐?
우와~.

죄송해요,
현목 오빠!

누굴
선택할 수
있겠어?
둘 다 멋진걸.

하
하

형 최고의 유일한 실수가 아닌가 싶다. 이 꼬맹이….

정말~! 나한테 유감이 그렇게 많아요?! 계속 뭐야?!

넌 대체로 분위기 파악이라는 걸 못하는구나.

오빠! 이 사람한테 뭐 빚진 거 있어? 왜 항상 내게 빈정거리는 거야? 계약 조건이라도 걸었어?

자신만만인지 멍청함인지 모르지만 무서운 게 없는 건 확실해.

어떻게 그렇게 예쁜 말만 골라 해요? 연습하나?

혜진이 뭐 더 갖다줄까?

내가 가져올 거야! 오빠 없다고 때릴지도 몰라.

너무 순수해서
작은 상처에도 쉽게
오염될 수 있어.

언제까지
방패노릇 할
생각인데?

맡길 만한
기사가 나타날
때까지…

그럼
물러설 수
있어요?

…네가
해줄 테야?

봐! 또 월권이지!
그게 누구두
상대는 꼬맹이가
신댁할 일 아냐?

이런…
고기를 못 먹다니?
한번 먹어봐.
햄버거인데 뭘.

아니,
그냥 생선으로
할래요.

혜진아! 다치지 않았어?

놔! 나 혼자 할 수 있어! 오빠가 울 오빠야?!

혜진아! 무슨 일이야? …어? 승주야!

형님!

죄송해요, 연극 보러 가지 못해서….

여기서 만났으니 얼굴 본 거네, 뭐….

흐응…. 승주가 청춘사업도 다 하는구나?

휘경 형,
언제 왔어요?
도깨비처럼~.

슬쩍 돌릴 줄도 알고.

미인 보는 안목도
있고~ 멋진데?

형님!

혜진아…,
유혜진!

…오빠,
햄버거 한 개 더
먹고 싶은데,
디럭스로….

내가….

내가….

내가….

오오~,
기사도~!
동시에 다
일어나다니!

하하

용문 캠프 때
가게 되면
갈게.

두 분 꼭~
와주셔야 합니다.
오셔서
아가들 사기도
올려주시고요.

안녕히 가세요.

그래, 잘들 가요!

잘 가,
혜진아!

악수!

안녕!

뭐가 그렇게 불쾌해? 누구나 선약할 수 있는 거지.

같이 올 수도 있지. 아는 처지에 뭘 숨겨?

말할 필요 없다 느낀 거겠지. 무슨 큰일이라고 숨겼겠어?

오빠! 아무것도 모르면서!

난 그애가 싫단 말이야! 오빠 험담해서 막 패준 적도 있다구!

그래서 승주가 피했나 보다. 충돌 안 시키려고.

어휴! 그래~. 오빠 혼자 가운데 토막 해라!

승주한테 관심 있구나, 혜진이?

오빠~!!! 나 지금 불쾌해! 뭔지 모르지만 기분 나빠! 보태지 마!

그래…. 아쉬운 건 나일지도 몰라….

밤새 통곡하며
만화책 봤다구?
심하다!
이지현…

눈이 퉁퉁 부어
마사지 하느라고
또 지각했지.

연극 어땠어?
같이 못 간 게
원통하다!

열기!
열광! 열연!
그 자체였다!

너
인어왕자
볼 때마다
우냐?

참!
휘경 오빠 왔어!
알고 있었니?

음악실

음악실

노크

맞아!
이 짧은 여름방학을
학교에서
다 보낼 순 없지.

얼마나
환상적인 학교냐!
보충을 자율에
맡기다니!

오우!
즐거운 여름방학!

그럼 일정표들
나눠 갖고…
오늘은 일찍
취침한다!
새벽이라지만
5시면 대낮처럼
밝다.

특히 상습범들!
열차는 인내력 없다!
늦는 놈들은 그냥
버리고 갈 테니
각오하도록!

으잉?
따가운
시선들….

한동네 사는
죄다, 오태준!
유혜진을
끌고 올 것!

끌고라니?
내가 ×냐?

삐
익

삐
익

우유 데워졌다, 혜진아.

정신 못 차리네. 이래갖고 제대로 기차역까지 가겠나? 쯔쯔….

응…. 걱정 마세요. 자면서라도 갈 테니까.

ZZZ

처절하구나, 유혜진! 기특하기도 하지. 눈은 잠들어도 입은 살았구나.

푸하~

앗, 뜨거!

확실히 잠이 덜 깼어. 내가 생각해도.

촐랑대지 말고… 어른들 말씀 잘 듣고~.

엄마아~!

조심해라! 무슨 일 있음 연락하고ㅡ.

덜커덩…

예…. 다녀올게요!

어?

어?
태준 오빠!

안녕하세요?
혜진이 지각을
방지하기 위해
파견된 특사,
오태준입니다.

이런…
수고가 많구먼!
주변을
잘못 만난 죄로
고생이네~.

엄마~!

뭘…
오고 그래요?
난 뭐… 맨날
지각하는 줄
알아요?

이런 애들이
놀고, 먹고,
잘 때는 일착으로
움직이지!

농담이고—.
잘 부탁한다~,
우리 혜진이!

예—, 어머니!
걱정 마시고
들어가세요!

다녀올게요!

히임….

어떻게
된 거야?

어?
저기 와요,
선생님!

죄송합니다~!
늦었습니다!!

우우~~~~.
물볼기를 쳐요!

승주가
웬일로 지각을
다 했지?

뭐… 짐이
그리 많아?

아…, 이건
수경이 거.

혜진이 왔니?

수경이랑 뭐…
있는 거 아냐?
승주 오빠?

남자들이 텐트 칠 동안 여자들은 방갈로에 짐을 풀도록 한다. 그리고,

어이, 거기~, 꼬맹이 삼총사!

늬들은 김치가 쉬지 않도록 얼음 박스를 물에 담가놓고 온다! 실시!

실시!

와…, 멋지다!
폭포 비슷한 것도
있었네?

수박은
안 떠내려가게
바윗돌에 줄을
매야 돼.

ICE BOX

우왓! 얼음!
들어와봐,
혜진아!!

머릴 담가봐!
땀이 다 얼어버릴
테니까.

그럼 어디…

머리풀고~

정말
얼음물이야!
으아아~.

Episode.15

아주
예쁘다….

태준 오빠!

이거! 뭡니까?
처녀 떡 감는 모습
훔쳐보기나 하고!
나무꾼과 선녀
찍을 일 있으셔?

으하하~. 지유선!
네가 선녀란 말이냐?
선녀들이 단체로
익사하겠다, 야!

푸하하

오늘 너 아니면 나, 사망인 줄 알아!

첨벙

첨벙

첨벙

까오! 헐크 선녀다! 태준 형, 살려줘요!

좋은 말로 할 때 못 와? 맞고 죽으면 멍들어 흉할 텐데.

어어어어…

끙끙

못해! 못해! 이 물귀신!

좌악

나이스ㅡ!

짝

딤벼! 딤벼! 다 딤벼!

태준 형, 용서하시와요~. 치타는 타잔을 거역할 수 없답니다!

계급 떼고 좋지요! 일당백 지유선 아닙니까? ㅇ하하하~.

야하~~!
시원하게들
놀고 있군!

너무하잖아!!
3:1이라니
기둘러! 태준아!
지금 간다!

조직의 짠맛을 보여주마!
아랫(下) 것들이 감히
상(上) 것을 놀려?

승주야, 빨리!
이놈들 군기를
잡아야 해!
팍팍!

3:3 정당한
승부가 되겠군!
수경이는 심판!

어어어~~.

조심해!

자, 내 손에
의지하고
천천히 내려와.

잘못
미끄러지면
다친다.

으아아

차악

하아 하하…

기고만장 했던
콧대는 어디 갔나?
아까처럼 씩씩하게
덤벼보라구!

까악!
그만! 그만!

차악

휴전!
휴전!

누구 맘대로?
휴전이 어딨어?

잘한다,
우리 매희!
역시 여왕벌이야!

아하

항복─!
정말이야!

손끝에 물 하나 안 대고 호호 하하! 공주라도 되는 줄 아나 봐!

정말 싫다! 캠프 와서도 귀족놀이야?

제2 캠프촌

너 왜 그래? 무시해버려. 또 싸우겠다!

오늘은 각자 캠프에서 싱어롱 갖도록 한다. 내일부터 본격 대회 시작이다. 미니 올림픽, 장기자랑, 마지막 날 포크 댄스와 캠프파이어.

벤뷔텐트X

각 소대장들, 프로그램 진행 점검하고, 후배들 관리 잘 하도록! 이상!

이번 임원진 중에서도 특히 인기가 좋은 세 사람 모두 해당되였지?

작년 캠프 때도 히트를 치더니— 그대로 임원될 줄 알았어!

하하~. 승주, 태준이 노리는 여학생들 많아 불안하겠다.

김승주 군! 회장직 내려놔! 데이트 한 번 편히 못하잖아요?

태준이 달콤한 노래 간만에 듣겠네? 나도 그쪽 텐트로 옮겨버릴까?

야! 이상한 소리가 나! 끊어지는 거 아냐?!

새로 보수해서 빡빡한 거야. 튼튼하기만 한데 뭐! 걱정 마!

너 날뛰는 거 박수무당 같아! 어지럽단 말이야! 빠지면 어떡해?

수영하지! 수직 100m 다이빙 코스 죽이지!

수영 못한단 말이야, 난…!

이런~! 계절 운동은 기본이야!

수영, 이번 기회에 완전 마스터 시켜주지! 이 오빠를 따르라!

넌 입으로만 설거지 하냐? 깨끗이 행궈!

저 위에서 누가 이 닦고 머리 감던데? 깨끗이 해봤자 그게 그거야~.

와! 새끼 물고기가 있어! 이게 뭐지?

올챙이 같기도 하고~

아가야!
우리 간다.
혼자 피라미랑
놀 거야?

와~!
여기도!
여기도!

캬아하하

혜진아!
그만 놀고
빨리 와!

걱정 마!

으샤!
지름길.

타타타타

어어어어~

파닥

파닥

쿵

층계는 멋으로
있는 줄 아냐?
꾀 쓰지 말고
돌아서 와.
힘 빼지 말고.

아쟈,
다시 한번!

다
다
다
다
다

어이구~,
저 똥고집!!
니 맘대로 하셔~.
언젠가 오르겠지.
성공하고 와라!

조금만 더!

파
닥

파
닥

파 닥

포기 안 해!

쿵

다시 한번!
조금만!
조금만 더!

타 타 타 타

어어어어~.

파
닥

파
닥

툭

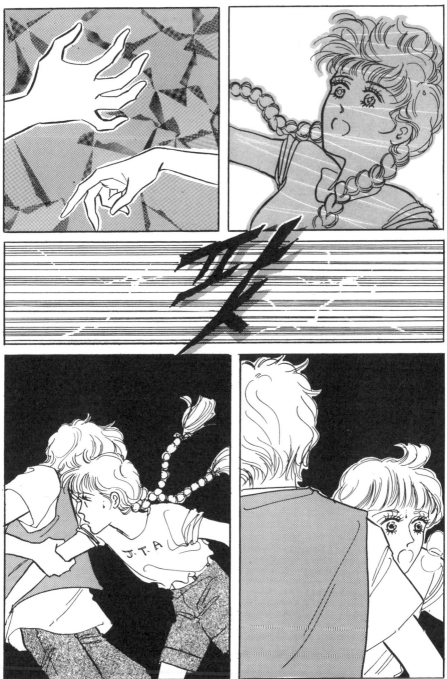

혜진아!

분과 토의할 프린트 가져오라고…

아…, 그래….

…승주 오빠….

나 때문에 현목 오빠 연극 놓친 거….

그건 너하고 전혀 상관 없는 문제야….

상관 없다고? 그… 말 무슨 뜻…? 승주 오빠!

야!
누가 촌스럽게
벌써 잠자리에
들었냐?

일어나요!
일어나!
싱어롱 타임!

벌컥

ㄲㅑ악!

ㄲ꺅!

야만인!
너 죽을래?

노크도 없이
숙녀방 벌컥벌컥
열어대는 버릇
어디서 배웠어?

으아아~.
난 아무것도
못 봤어!

빨랑들 오래요. 우리끼리 수박 다~~ 먹을 거야!

어휴~. 제일 신났어! 신났어! 치타!

하하하~. 귀엽잖아?

뭘 찾는 거야?

머리끈 한 쪽이 없어졌어! 어디 갔지?

이리 와봐, 유혜진!

언니, 뭐 하는 거예요?

쫑쫑 땋는 거 오늘로 졸업하자구!

매희 언니!

어허! 반항할래?!

파닥

파닥

파닥

까아...
까아...

춘향이 드디어 머리 풀었네! 아유~, 내 속이 다 시원하다!

야아!
혜진아!
이리 와!

혜진이가
왔다! 와아!

혜진아!
이쪽으로 와!
내 옆에 앉아!

안 돼!
내 옆이야!

봐…!
확실한 반응이 오지?
머리 모양 하나로
시선 집중이잖아?

독점은
절대 안 돼!
누구의 옆자리도
용서할 수 없어!
가운데 앉게 해!
예쁜 혜진이!!

하하하~.
쑥스럽구만….
나… 그냥
아무 데나
앉을게요….

안 돼!
내 모기향!

살아 있는 모기향!
모기향은 공평해라!
우~.

끼이이익

모기…향!

하하~.
혜진이는 모기
잘 물리는
특이체질
이라며?

그 얘기 듣고
그러는 거야.
장난이 좀
심했나?

유혜진 인기
죽여준다!
모기 공주~!

그러면 그렇지.
잔인한 사람들!

혜진이 머리
예쁘지 않니?
쫑쫑보다
분위기 있지?
어때?

춘향이 맘 돌린
이도령 누구야?
와아~!

시집 보내라~!

살아가는 동안
기뻐할 날이 많겠지만
우린 너무들
많은 걱정에 쌓이지—.
늘 그렇게 살아가지.

어제 하루도
많은 물음과 대답 속에
힘겨워했던 우릴
위로하면서—
늘 그렇게 살 순 없어.

어릴 적 꿈과
별 상관없이 자라왔지만
그런 세상 언제쯤
볼 수 있을까.
늘 작은 목소리로
늘 그런 세상이면—

착한 마음과
예쁜 사람과
좋은 나라만이 있어서
싸움도 없고
미움도 없는
그런 세상이면 좋겠다.

※이승환「늘 그런 세상이면 좋겠다」

맹세 I, 절대 들여다보지 않는다!
맹세 II, 외간 남자들의 모든 접근을 목숨 걸고 차단한다!
맹세 III, 위의 맹세를 지키지 못할 경우 흔들 다리에서 투신한다!

하하하, 누고하는구니! 선우태림!

여자였다면 방갈로에서 편히 잘 수 있었을 텐데…

밖이 시원하고 더 좋지 뭘.

별도 보이고…

그럼 바꾸자. 넌 남자 텐트로, 난 방갈로로…

꼭 매를 벌어요!

드 렁

유선아…,

지유선…, 일어나봐.

…뭐니, 혜진아?

어, 정원 언니! 깼어요? 미안! 나 혼자 화장실 무서워서…

유선이는 한번 자면 업어가도 몰라요. 미안해요, 언니. 나 때문에 잠 깨서….

아니…, 잠이 오질 않아 깨 있었어.

우와~. 별 좀 봐!

쏟아질 것 같아! 저렇게 많은 별 처음 봐요!

손에 닿을 것 같지? 후훗—.

작년이랑 정말 하나도 안 변했어. 선배가 된 것 빼고는….

작년 캠프 재미있었다 면서요?

재영 오빠, 연훈 오빠, 휘경 오빠…. 거물들이잖아.

하하~. 맞아! 대단했을 거야! 그 오빠들!!!

선배들은
캠프 마지막 날
오신다죠?

늘 그래왔으니까.

여기 계단식으로
물 흐르는 게
재미있지 않아요?
발목에 물이
감기는 느낌도
좋고….

하지만
조심해야 돼.
마지막 계단
밑으로 빠지면
꽤 깊어.

갑자기
섬뜩하다!

작년에 하마터면
떠내려가는 신발
잡으려다가 빠질 뻔했어!
태준이가 도와줘서
무사히 건졌지만…
아찔했지 뭐.

태준 오빠가?
와~!

언니…,
왜… 그렇게
봐요?

널 보면…
내 모습을
보는 것 같아.

무슨 말이에요?
언니처럼 침착하고
부드럽지 못한걸, 난.
하하~.

난… 소극적이고
결벽에 가까운
완벽주의야.
특히 정신적인
소유에 대한
집착이 크지.

너… 태준이 싫다고
표현했었지?
어렵고 서먹하고…
그게 어느 새 무뎌져
지금은 제법
편해졌지만….

네가 알고 있는
선배들과
전혀 다른 특별함을
느끼고 있어.
그렇지 않니?

JUMP Tree A⁺

Episode.16

모른다면
거짓말….

자신의 감정에
솔직하게 귀를 열면
바로 들릴 거야.
최초의 이성이라는….

언니!
난….

오해 없이 들어줘.
널 혼란하게
하려는 게 아니야.

모르겠어요,
언니.
이런 말 하는
이유….

처음이란 어렵고
서툴기 마련이지.
감정도 반복을 통해
익숙해지는 거야.
많이 사랑할수록
더욱 커져.

누굴 위한 것이 아닌
나를 위한 시를 쓰는 거지.
사랑이 깊어질수록
관대해져가는 자신을
발견하게 될 거야.

무슨 소릴
하는지….

누군가 내게도
충고해주었다면
좋았겠다 싶어….

언니….

그냥…
들어주라.
미안….

오늘 밤을 무척
후회할지도 몰라.
…하지만 나로 인해
네 감정이 방해 받지
않았으면 해….

진심으로….

…정원 언니?

등 맞대고 달리기! 선수들 출발했습니다! 두 사람이 합심해야 제대로 달릴 수 있는 경기죠!

으악! 진호 너! 뒤꿈치 계속 밟을래?!

현정이 네가 틀리고 있잖아. 오른발, 왼발도 못 맞추냐?!

저런! 저런! 파트너끼리 싸우면 언제 골인하냐?

헛둘! 헛둘!

와! 환상의 콤비다!

잘한다, 방실이!

에잇! 차라리 업고 달리자. 모로 가도 서울만 가면 됐지!

와! 멋지다, 우주야!!

어엇! 태림아! 쟤네 좀 봐! 파트너를 업고 달려! 우리가 불리하겠는데?

좋아! 준비해라, 치타! 널 업고 달리…

이야아아아아··

골인!

방실 언니 팀이 일등입니다!

대단한 총각이야! 람보를 업고 뛰다니!

하하~. 자식! 역시 사내놈이야!

귀여운 태림이, 듬직한 구석이 있었네?

놀랐다,
선우태림!
유선이를 가볍게
업더라, 너?

하하하~.
형님들이 응원해주니까
막 힘이 솟는 겁니다!

수선 떨기는~.
사내 녀석 힘이
그 정도도
없으면
되냐?

그러게
말이야.

…무겁지
않았어?
등뼈 이상
없냐…?

전혀…

너, 약골이잖아.
내 한 방이면
끝나는 게…

…뭘 그렇게
실실대는 거야?

귀여워서…

뭐야? 감히 누나한테 귀엽다니…!

자신 있으면 이 손을 풀고 날 쳐봐.

너 약 먹었나? 왜 이렇게 세졌어? 매일 얻어맞던 게…

너니까 맞아준 거다, 바보야….

뭐?

둔감한 건 역시 체격에서 오는 걸까?

야! 내 체격 형성에 네가 보태준 거 있냐?! 죽을래?!

하 하 하…!

무슨 소리냐?

뭐 하는 건데?

누워!

자연스럽게!
눕는 거 몰라?!
겁낼 것 없어!
머리를 뒤로 젖혀!
어허, 힘 빼고!
날 믿어!

뭐야! 뭐!
물만 먹이고!
뭘 자꾸 누워?
나 안 해!

내 말을 믿고
하라는 대로만
해봐!

잠자는 것처럼
편하게 누우라고~!
몸에 힘을 빼면
그냥 뜨게 돼 있다구!
목에 힘을 주니까
가라앉지!

싫어~~!
말처럼 쉬운 줄 알아?
안 되는 걸 어떡해!
이러다 빠지면
책임질 거야?!

짜닥
짜닥...

와! 이런 곳에
약수가 있다니!
역시 재영 오빠!

후훗! 어때!
식수대 밀린 줄
언제 기다리다
물을 길어 오냐?
이쪽이 일석이조
황금 연못이여!

귀염둥이 후배들이
캠프 파이어 준비로
비지땀 흘리는데
밥값은 해야겠지?
선배로서 말이야.

재영 오빠!
물 바가지를
빼놓고 왔어요!
어떻게 뜨죠?

오우~,
돈 워리!

간편 만능 휴대
재영 표 고무신
물바가지.

짜자잔

오빠! 설마…
그 신고 다니는
고무신으로
물을 떠 담을…

박박 닦아
쓰는데 뭐.
나 무좀 같은 거
없거든~!

첨벙

키야아!
완벽하다!
좋은데!

이지현!
내 말이 그 말이다!
생명의 은인한데
대들 수도 없고…
정말!

언제쯤 철이 들어
고물상에
팔아먹을 정도가
될까?

네 말씨는 어떻고?
그 칼들 모아서
김장하는 집 주면
칭찬이나 받지.

배추보다
오빠 머리 꽁지 먼저
손봐 드릴 수
있습니다만…

마!
까불래?

사이비
미용사에게
머릴 맡길 순
없지.

야아~,
1 대 0
민휘경 패!

휘경 오빠…
너한테 꼼짝
못하는구나,
이지현…

어휴~,
저 청개구리가?
어디…

젊음!
Let Let Let's go
dance!

와
아
!

와
아
!

결코! 시간은 멈추어 줄 순 없다 요! 무엇을 망설이나 되는 것은

단 지 하 나 뿐인데!

…꺄악~!
이건 무슨
춤이야?

태준 오빠랑
정원 언니….

디스코+
브레이크 댄스+
람바다+회오리 춤+
재즈 댄스+지루박?

수경이…,
송주 오빠.

모두 좋은 친구들….

난…
나의 열여섯을 사랑한다!
불꽃놀이 하나만으로
멋진 밤을 사랑한다!
나의 젊음을 사랑한다!
나의 감각을 사랑한다!

…당신들을 사랑한다!
…그대를 사랑한다!

혜진아,
어디 가니?

승주 오빠….

카디건
가지러 가요.
좀 썰렁한
기분이라….

고생했지?
지금 들있어.
머리에 열…
있는 거 같다.

…난 괜찮아.
모닥불 열기
때문이야.

다녀올게.

승주 오빠….

울었니?

나… 사소한 일에
감동 잘해요….
그냥 눈물이 나와.
괜히 수도꼭지겠어?

혜진아!

몰라!
오빠가 부르니까
눈물이 그냥
자꾸만…
나오잖아?

이럴 땐 나한테
절망스러울 때야.
승주 오빠니까
다행이지만…

…나여서
다행이란 건
무슨 뜻?

오빠는…
우리 오빠 같으니까….
식구끼리는 흉봐도
부끄럽지 않잖아.

Episode.17

아이고—.
혜진이는 완전히 떨어졌네?
하하하~. 태준이는
혜진이 때문에 자세도
못 바꾸고 힘들겠다.
너 여전히 극기 훈련이구나.

그러게.
내 캠프 철수는
어깨가 가벼워질
때겠지?

이번 정차 역은
합정, 합정입니다.
내리실 문은….

다 왔다!
오…, 홈!
스위트 홈!

수경아,
일어나!

태준이가
라스트구나?
마무리 잘 하고.
혜진이 깨지 않음
그냥 버리고 내려라.
알았지?
하하하—.

정원아!

수고 많았어!
푹들 쉬라고!

…잘 가!

너두….

태준아,
수고 많았다.
조심히 가고….

혜진이는 걱정 마.
잘 데려다줄게.

…그래.

거짓말!

봐! 내 어깨에
계속 기대고 잤는데
젖었잖아?

…정말요?

하하하, 울겠다!
장난이야!
혜진아, 농담!

뭐예요,
태준 오빠!

정말인 줄
알았잖아!

탁

으아아….

왜 그러세요?

건들지
말아줘!

베개 역할에
충실하다 보니…

어구…
저러다…

엄살이라니! 오빠~, 난 죽을 거 같다구! 온몸이 땅 속으로 꺼지는 느낌이야!

태준이랑 왔을 때까진 멀쩡하던 녀석이 갑자기 뭐야?

그러게 말이야. 대문 앞에서 엄마 얼굴 보는 순간 다리가 풀어지는 거 있지.

그래서 집이 최고인 거야. 피곤하지만 참으로 달콤한 느낌이지. 재미있었구나?

으응..., 정말! 오빠도 왔으면 좋았을 거야.

아…, 정말 좋다! 침대가 구름 속 같아! 행복해!

오빠…, 눈이 떠지질 않아…. 너무 무거워.

할 얘기가 많은데….

재미있는…

얘기…,

…….

괭장했지 뭐.
너 정신없이
자더라?

그래도 태준 오빠
너 깨우지 않으려고
꼼짝하지 않은 거 같아.
팔이 저렸을 거다. 하하~.
복도 많다! 좋겠다,
사랑받는 유혜진!

…정말?

…그럼
베개 운운한 소리는…
팔이 저리도록 나를…
깨우지 않으려고?

태준이 오빠한테
파스라도 사줘야
하는 거 아니냐?

사람들
다 보는 앞에서…
야, 그건 거의
안기다시피
한 거야!

저것들이
또 시비로군!
야! 참새떼!

야…,
승주답지 않게
뭘 빼고 그래?

승주는
수경이 옆에
서 있기만
하라구.

와~, 선생님!
학생회와 TV가
비교 되나요?

선생님께서
하시는 겁니다!
학생과 선생님의
환상적인 MC!
멋있을 겁니다!
그래요!

하여튼!
잘 빠져
나간다니까.

하
하
하

이성이란 주제래.
아직 가제이지만
끊임없이 논란 있는
청소년의 고민···.

대학 입시 다음으로
아이들이 한 번쯤
겪는 문제잖아.

똑같은 감기라도
체질에 따라 중병 들고
끄떡없기도 하는데,

감성이야
오죽하겠어?

···난
죽을 뻔
했어···.

기운 빠진다.
에너지가 필요해!
간식 먹으러 가자!

지유선.
무엇으로
사는가…!

하하하

워!

쟤 왜 저러냐?
널 쳐다보고
있었던 것 같아.

그냥 눈이
마주친 거겠지.
신경 쓰지 마.

또 여우짓을
하려는 건가?
뭔가 기분 나쁜
예감이 드는군!

오홋~!
못 보던 이름의
과자들이네?

태림이의 오래된 취미랍니다!
새로운 과자 시식하기!
그동안 과자 값 수억일걸?
때부잣집 아들인 게
천만다행이지~.

목욕탕 집
아들이었니,
태림이?

보면 몰라?
이 뽀얀 피부!
매일 밤 온천
목욕 덕이지!

매일 밤
목욕탕
청소하겠지.

하 하 하 하

졌다!

야아—,
날마다
파티구나?

어머,
승주 오빠!
태준 오빠!

…태준 오빠!

떨컹!

파티 초대해놓고
먼저들
해치운 거야?

누구야, 누구!
정보 흘린 게!
태림이 너지?

이리 앉으세요!
승주 오빠!

태준이 형,
유선이 옆에
앉지 말아요.
빈 접시뿐이여!

그럼
혜진이 옆에
앉을까?

혜진이도 유선이 버금갈걸요? 저도 그렇구요.

앉지 말고 가란 소리로 들리는데~?

하하하~. 아니야, 어서 앉아!

태준이 형! 샌드위치 해드릴 테니 거기 잼 좀 집어주실래요?

아, 이거?

자….

씨야.

-2권에서 계속-

Jump
Tree A+

LEE EUN HYE SPECIAL EDITION

Jump Tree A⁺ 1

2024년 5월 25일 초판 1쇄 발행

저자 이은혜

발행인 정동훈
편집인 여영아
편집책임 최유성
편집 양정희 김지용 김혜정 조은별
디자인 디자인플러스

발행처 (주)학산문화사
등록 1995년 7월 1일
등록번호 제3-632호
주소 서울특별시 동작구 상도로 282 학산빌딩
편집부 02-828-8988, 8836
마케팅 02-828-8986

ISBN 979-11-411-3203-3 (07650)
ISBN 979-11-411-3202-6 (세트)

값 16,500원